DICTIONNAIRE
des vitamines

Données de catalogage avant publication (Canada)

Mervyn, Leonard

  Dictionnaire des vitamines
  (Collection Santé. Dictionnaires)
  Traduction de: The Dictionary of Vitamins.
  Comprend un index.
  Bibliogr.: p.
  ISBN 2-89037-269-3
  1. Vitamines – Dictionnaires. 2. Vitaminothérapie –
  Dictionnaires. I. Titre. II. Collection.

QP771.M4714 1987   612'.399'0341   C87-096239-6

ÉDITION DU CLUB QUÉBEC LOISIRS INC.
© Avec l'autorisation des Éditions Québec/Amérique

ISBN-2-89037-269-3

LÉONARD MERVYN

DICTIONNAIRE
des vitamines

traduit de l'anglais
par Louise Bernier

Introduction

Le concept des vitamines a été développé par les brillants chercheurs Sir Frederick Gowland Hopkins et Casimir Funk dans la première moitié du vingtième siècle. Par la suite, plusieurs médecins et chercheurs, qui s'interrogeaient sur les liens existant entre ces éléments et certaines maladies, réussirent à les isoler. Dans le cas où des maladies spécifiques furent induites par une déficience de certaines vitamines, on a pu assister à des guérisons spectaculaires tout simplement en donnant ces substances ou en améliorant la diète de façon à en assurer un apport adéquat.

En 1954, on a introduit le concept d'anomalies métaboliques congénitales, quelquefois héréditaires, après avoir observé qu'un certain type de convulsions infantiles répondait à de fortes doses de vitamine B_6. Ces désordres génétiques augmentent les besoins vitaminiques individuels par un facteur de 10 à 1 000. Pourquoi cela se produit-il?

1. Il peut y avoir une altération de l'absorption ou du transport d'une vitamine, de sorte qu'une augmentation de l'apport peut corriger le désordre.

2. La plupart des vitamines doivent être transformées en une forme active; or ce mécanisme peut faire défaut. Le traitement consiste alors à fournir la vitamine active préformée.

3. Les vitamines, qui fonctionnent en étant liées à des enzymes spécifiques, peuvent être inactivées à cause d'une anomalie de ces dernières.

4. Ces enzymes ont parfois une durée de vie écourtée; or en les saturant avec les vitamines, on peut augmenter leur stabilité.

Il existe au moins 25 désordres connus qui répondent au traitement vitaminique et qui sont classés sous la rubrique des anomalies métaboliques congénitales, qui impliquent huit vitamines hydrosolubles et une vitamine liposoluble. Ces maladies sont fort heureusement peu fréquentes et répondent cliniquement bien à de grandes doses de vitamines.

Depuis 1950, nous assistons à une grande impulsion dans le développement de la thérapie mégavitaminique. Les vitamines y sont utilisées à des doses bien plus élevées que celles requises pour leur action biochimique, de sorte qu'elles sont considérées comme des agents thérapeutiques. Ainsi, on emploie maintenant le complexe vitaminique B pour le traitement des désordres mentaux, la vitamine E pour celui des problèmes du cœur et de la circulation sanguine, la vitamine C pour ses propriétés anti-infectieuses et, en doses vraiment massives, comme traitement d'appoint contre certains cancers.

Les fortes doses de vitamines ont aussi amené une augmentation des possibilités d'effets secondaires, mais sauf certaines exceptions, notamment les vitamines A et D, ces effets secondaires se sont avérés à peu près nuls et dans tous les cas facilement traités par une réduction de l'apport vitaminique. Comparez cela avec les effets secondaires qui se manifestent avec n'importe lequel des médicaments en usage aujourd'hui...

Ce dictionnaire fournit sur les vitamines une information concise et accessible à tous, il suggère des régimes d'autotraitement avec des vitamines qui complètent la médication prescrite par le médecin et il répond aux questions que l'auteur a reçues de ses confrères et du public depuis 20 ans. Que le lecteur se rassure, chaque traitement suggéré dans ce livre a été essayé et testé, parfois même par un médecin, avec des résultats avantageux. Aux doses recommandées, les traitements sont inoffensifs. S'il est estimé qu'une supervision médicale s'avère nécessaire, cela est mentionné.

Finalement, ce dictionnaire explique brièvement de quelle façon les vitamines sont extraites et de quels aliments et suppléments. Il définit en outre le concept d'unités internationales (u.i.). On peut toutefois se remémorer les équivalences suivantes:

1 gramme = 1 000 milligrammes (mg)
1 milligramme = 1 000 microgrammes (µg)
100 grammes équivalent approximativement à 3,5 onces.

A

A (Vitamine)

Vitamine liposoluble. Connue aussi sous les noms de rétinol, axérophtol, biostérol, elle est présente dans les suppléments sous forme de rétinyl palmitate. Deux groupes de chercheurs américains l'ont isolée pour la première fois en 1913. Un microgramme est équivalent à 3,33 u.i. Elle se trouve à l'état naturel uniquement dans les aliments d'origine animale. Vitamine anti-infectieuse.

Principales sources (en µg par 100g)		Destruction par
Huile de foie de morue	18 000	La lumière
Huile de foie de flétan	60 000	Les hautes températures
Foie d'agneau	18 100	L'air
Foie de bœuf	16 500	La présence de fer ou de cuivre
Beurre	750	(dans les ustensiles, par exemple)
Fromages	385	
Œufs entiers	140	
Carotènes (*voir* cet article)		

Fonctions

Vision
Maintien en santé de la peau et des muqueuses
Résistance aux infections
Synthèse des protéines
Bonne santé des os
Prévention de l'anémie
Croissance de l'enfant

Résultats d'une déficience

Cécité nocturne (incapacité de voir à la noirceur)
Xérophthalmie (sécheresse et dégénérescence de la cornée)

Formation de calculs rénaux
Légers troubles de la peau
Inflammation des muqueuses

Symptômes de déficience

Infections de la peau, des muqueuses et des voies respiratoires supérieures
Peau et cuir chevelu secs et écailleux
Cheveux en mauvais état
Vision médiocre
Sensations de brûlure et démangeaison des yeux
Inflammation des paupières
Maux de tête
Douleurs aux globes oculaires
Ulcération de l'œil et parfois cécité

Apport quotidien recommandé

450 μg (jusqu'à 9 ans)
575 μg (de 9 à 12 ans)
750 μg (12 ans et plus)
1 200 μg (pendant la lactation)
La ration la plus élevée permise sans prescription est de 2 272 μg
(7 500 u.i.) par jour.

Symptômes de toxicité	Utilisations thérapeutiques
Perte d'appétit	Cécité nocturne
Sécheresse et démangeaison	Cancers
de la peau	Ulcères gastriques
Perte des cheveux	Acné
Maux de tête	Eczéma
Nausées et vomissements	Psoriasis

Abats

Les abats fournissent de la vitamine C en plus de toutes les autres vitamines, contrairement à la viande. Le foie et les rognons sont tout particulièrement riches en vitamine C, en acide nicotinique, acide pantothénique et vitamine B_{12}. Consulter chacun des termes individuellement (foie, cœur, etc.).

Abricots

Frais, crus (sans noyau), ils fournissent une quantité appréciable de carotène, soit 1,5 mg par 100 g en moyenne (variant de 1,0 à 2,4 mg), mais pas de vitamine E. Les vitamines du complexe B présentes (en mg par 100 g) sont: thiamine 0,04, riboflavine 0,05, acide nicotinique 0,6, pyridoxine 0,07 et acide pantothénique 0,30. Le taux d'acide folique est de 5 mg par 100 g. On n'a pu déceler aucune trace de biotine. La teneur en vitamine C est de 7 mg par 100 g.

La compote d'abricots est une excellente source de carotène: 1,18 mg par 100 g (sans sucre) et 1,15 mg par 100 g (avec sucre). On trouve dans la compote sucrée et dans la non sucrée les vitamines du complexe B suivantes (en mg par 100 g): thiamine (0,03, 0,03), riboflavine (0,04, 0,04) et acide pantothénique (0,21, 0,23). Le taux d'acide folique est constant à 2 mg par 100 g. La biotine est absente. La teneur en vitamine C est de 5 mg par 100 g de compote. Si on cuit l'abricot avec le noyau, les chiffres obtenus demeurent essentiellement les mêmes.

Abricots séchés

À l'état cru, ils fournissent des quantités plus élevées de vitamines comparativement au fruit frais, exception faite de la vitamine C et de la thiamine.

La teneur en carotène est de 3,6 mg par 100 g (s'échelonnant entre 2,4 et 4,4 mg), celle de la vitamine E est négligeable. Les vitamines du complexe B présentes (en mg par 100 g) sont: thiamine 0,01, riboflavine 0,20, acide nicotinique 3,8, pyridoxine 0,17 et acide pantothénique 0,70. Les taux d'acide folique sont de 14 μg par 100 g; la biotine est absente. La vitamine C est détruite par le processus de séchage et il n'en reste que des traces.

Après cuisson, avec ou sans sucre, toutes les concentrations vitaminiques sont réduites à cause de l'absorption d'eau. La teneur en carotène est de 1,3 mg par 100 g, la vitamine E est absente. Les vitamines B présentes (en mg par 100 g) sont: thiamine 0,01, riboflavine 0,06, acide nicotinique 1,4, pyridoxine 0,05 et acide pantothénique 0,23. L'acide folique est fortement réduit à 2 μg par 100 g.

Lorsque les abricots sont mis en conserve, le contenu de la plupart des vitamines diminue encore, comparativement à ce qu'on retrouve après cuisson. Le taux de carotène est de 1,0 mg par 100 g. Les vitamines B présentes (en mg par 100 g) sont: thiamine 0,02, riboflavine 0,01, acide nicotinique 0,4, pyridoxine 0,05 et acide pantothénique 0,10. Le taux d'acide folique est de 5 μg par 100 g.

Accident cérébro-vasculaire

Il est causé par l'athérosclérose des vaisseaux sanguins du cerveau et par l'hypertension.

Le traitement préventif et curatif devrait inclure de fortes doses de vitamine E (400 - 600 u.i.), de vitamine C (500 - 1 000 g), de vitamine F (huile de carthame ou huile de primevère, 3 g par jour), de lécithine (5 à 15 g), d'huile de poisson contenant les acides éicosapentanoïque et docosahexanoïque. On recommande l'emploi d'huiles polyinsaturées dans l'alimentation, de préférence aux huiles saturées.

Acétaldéhyde

Substance toxique présente dans la fumée de cigarettes et produite par l'organisme à partir de l'alcool. Elle détruit la vitamine B_1, la vitamine C et la vitamine B_6. Ces vitamines et l'acide aminé L-cystéine peuvent vaincre les effets de l'acétaldéhyde aux doses quotidiennes suivantes: B_1 (10 mg), B_6 (10 mg), vitamine C (500 mg) et L-cystéine (100 mg).

Acétylcholine

Dérivée de la choline, l'acétylcholine intervient dans la transmission des influx nerveux. Sa formation dépend d'un apport adéquat de vitamine B_1, d'acide pantothénique et de choline. Un manque d'acétylcholine entraîne une souffrance cérébrale et peut être un facteur déterminant dans la démence sénile et la maladie d'Alzheimer.

Achlorhydrie

Aussi connue sous le nom d'hypochlorhydrie. C'est un manque de production d'acide chlorhydrique dans l'estomac. On croit que cela peut favoriser le développement du cancer gastrique. C'est un symptôme de l'anémie pernicieuse, consécutive à une déficience en vitamine B_{12}. On peut la traiter de trois façons: 1. avec le chlorhydrate de bétaïne, aussi connu sous le nom de chlorhydrate de lycine, 2. avec le chlorhydrate d'acide glutamique, 3. avec l'acide chlorhydrique dilué (2 ml dilués avec de l'eau, jusqu'à 200 ml) et bu à petites gorgées au moyen d'une paille lors d'un repas.

Acide désoxyribonucléique (ADN)

Les acides nucléiques présents dans toute cellule sont essentiels à la synthèse des protéines et à la transmission des caractères héréditaires. Comme ils sont à la base des processus vitaux, une déficience dans la production d'ADN a des répercussions sérieuses sur la santé; les premiers signes sont une anémie mégaloblastique et un processus de vieillissement prématuré.

Les vitamines essentielles à la synthèse de l'ADN sont la vitamine A, l'acide folique, la choline, les vitamines B_6, B_{12} et E. Un métabolisme anormal de l'ADN peut être lié au cancer.

Acide folinique

C'est la forme active de l'acide folique, produite dans le foie sous l'influence de la vitamine C.

Acide folique

Vitamine hydrosoluble, membre du complexe vitaminique B. Elle est connue aussi sous les noms de vitamine B_c, vitamine M, acide ptéroyl glutamique (PGA), acide ptéroyltriglutamique et folacine. C'est la vitamine anti-anémie. Cette vitamine est présente dans les suppléments sous forme d'acide folique et de folinate de calcium. C'est une poudre cristalline orangée.

Sa propriété anti-anémique a été découverte en 1935 chez les singes; l'acide folique provenait de la levure et du foie. On lui a donné alors le nom de vitamine M. En 1939, on a isolé du foie le facteur anti-anémie pour les poussins et on l'a nommé vitamine B_c. En 1940, les facteurs de croissance pour le *Lactobacillus casei* et pour le *Streptococcus lactis* ont été trouvés dans les épinards. On leur a donné le nom d'acide folique. Par la suite, on s'est rendu compte qu'il s'agissait du même élément que la vitamine M et la vitamine B_c. En 1945, le Dr Tom Spies a démontré que l'acide folique guérissait les anémies de la grossesse.

En présence de la vitamine C, l'acide folique est transformé dans le foie en acide folinique, connu aussi sous les noms de facteur citrovorum et de leucovorine.

Principales sources (en µg par 100 g)		Destruction par
Levure de bière séchée	2 400	L'oxygène aux températures
Farine de soja	430	élevées
Germe de blé	310	La lumière

Son de blé	260	La cuisson
Noix fraîches	110	
Foie de porc	110	**Fonctions**
Légumes verts	90	Métabolisme de l'ARN
Légumineuses	80	(acide ribonucléique) dans la
Flocons d'avoine	60	synthèse des protéines, la
Noix rôties	57	formation du sang et la
Grains de blé	57	transmission du code génétique
Rognons de porc	42	Résistance aux infections chez
Pain de blé entier	39	les nouveau-nés et les
Fruits citrins pelés	37	nourrissons
Œufs	30	
Riz brun non poli	29	
Pain blanc	27	
Poisson gras	26	
Bananes	22	
Fromage	9 à 20	
Légumes racines	15	
Pommes de terre	14	
Fruits séchés	14	
Viande	5 à 12	
Lait	5	

Résultats d'une déficience

Anémie mégaloblastique
Malformations congénitales (pouvant causer la spina bifida)
Toxémie
Naissances prématurées
Hémorragies après la naissance
Décollement prématuré du placenta
Avortements à répétition

Symptômes de déficience

Faiblesse
Fatigue
Manque de souffle
Irritabilité
Insomnie
Confusion
Manque de mémoire

Causes de déficience

Contraceptifs oraux
Grossesse
Âge
Alcool
Certains médicaments, dont l'aspirine

Apport quotidien recommandé par l'OMS

60 μg (moins d'un an)
100 μg (jusqu'à 12 ans)
200 μg (de 13 à 19 ans)

200 µg (adultes)
400 µg (pendant la grossesse)
300 µg (pendant l'allaitement)

Symptômes de toxicité	**Utilisations thérapeutiques**
Perte d'appétit	Anémie mégaloblastique
Nausées	Schizophrénie
Flatulence	Détérioration mentale
Gonflement abdominal	Psychoses
Troubles du sommeil	Mauvaise absorption (par exemple,
Irritabilité	la sprue)
Suractivité	

Acide gamma linolénique (AGL)

Il est habituellement synthétisé dans l'organisme à partir de l'acide linoléique (vitamine F). Des quantités appréciables d'acide gamma linolénique sont présentes uniquement dans l'huile de primevère. On en trouve un peu dans la spirulina. *Voir* huile de primevère.

Acide glutamique

C'est un acide aminé provenant habituellement des aliments, mais qui peut être synthétisé par l'organisme. C'est un précurseur de l'acide gamma-amino-butyrique (GABA), un tranquillisant naturel produit par le système nerveux central. La vitamine B_6 est essentielle à la synthèse de l'acide gamma-amino-butyrique, et une déficience cause des convulsions chez les nourrissons.

Acide lipoïque

On le considère comme une vitamine pour les bactéries, les protozoaires, les plantes et quelques animaux. L'acide lipoïque est essentiel à l'oxydation du pyruvate chez ces espèces. Chez l'humain, sa présence n'est pas indispensable, mais on l'a déjà utilisé pour traiter certaines maladies hépatiques et dans les cas d'empoisonnement dus à des champignons vénéneux.

Acide nicotinique

Niacine, vitamine B_3.

Acide orotique

L'acide orotique, également connu sous les noms de petit-lait, facteur de galactose animal et vitamine B_{13}, n'est plus considéré comme une vitamine.

Les sources alimentaires les plus riches en acide orotique sont le petit-lait liquide et les légumes racines. On trouve généralement des traces de cet acide dans tous les aliments contenant des vitamines du complexe B.

Le contenu d'acide orotique demeure *stable* lors de la transformation des aliments.

L'acide orotique, qui *agit* comme intermédiaire dans le métabolisme de l'ARN et de l'ADN humain, est produit en quantités adéquates dans des circonstances normales. Il est un élément essentiel à la croissance des micro-organismes.

Chez l'humain comme chez l'animal, aucune déficience n'a encore été rapportée.

L'apport alimentaire recommandé n'a pas été fixé, vu l'ignorance des besoins de l'organisme en acide orotique.

Les risques de *toxicité* sont très peu élevés. L'apport quotidien de 4 g d'acide orotique pris oralement n'a posé aucun problème, même après plusieurs jours de traitement.

L'acide orotique est employé en injections dans le *traitement* de la sclérose en plaques; on peut le prendre pendant plusieurs mois sous forme d'orotate de calcium contre l'hépatite chronique. On s'en sert également contre la goutte à raison de 4 g d'acide orotique par jour pendant 6 jours.

Acide pangamique

Le terme pangamique vient de «pan», qui signifie partout, et de «gami», famille. Agent soluble dans l'eau, l'acide pangamique se trouve dans les vitamines du complexe B; il est appelé parfois B_{15} et de façon erronée vitamine B_{15}, ou encore acide D-gluconique 6-bis (1-méthyle éthyle) amino acétate. Il a été initialement isolé de l'amande d'abricot en 1951 par le Dr E. T. Krebs et son fils E. T. Krebs junior. On trouve cet acide dans les suppléments vitaminiques sous les formes de pangamate de calcium et de pangamate de sodium.

Les **principales sources alimentaires** d'acide pangamique (en μg par 100 g) sont: écorce du riz (200), maïs (150), levure de bière séchée (128), flocons d'avoine (106), germe de blé (70), amande d'abricot (65), son de blé (31), foie de porc (22), orge (12), farine de grains entiers (8).

Il est *affecté* par la transformation des aliments et est complètement détruit par la cuisson.

Après avoir douté de la structure chimique de l'acide pangamique, on accepte aujourd'hui la dénomination d'acide D-gluconique 6-bis (1-méthyle éthyle) amino acétate.

L'acide pangamique *joue un rôle* de stimulateur dans le transport de l'oxygène des poumons au sang et du sang aux muscles et aux organes vitaux, d'agent lipotropique pour garder les graisses solubles, d'agent purificateur des poisons et radicaux libres, et de stimulateur dans la production d'hormones contre le stress.

On n'a jamais encore constaté de *déficience chez l'humain* pas plus que *chez les animaux*. Les symptômes de carence pourraient sans doute être reliés aux fonctions de l'acide pangamique.

L'apport recommandé n'a pas encore été établi de façon officielle. La toxicité est faible. Des doses aussi élevées que 300 μg par jour sont sans danger, mais peuvent entraîner des rougeurs occasionnelles de la peau. Il semble que le pangamate de calcium soit mieux toléré par l'organisme que le pangamate de sodium.

La thérapie à base d'acide pangamique apporte un soulagement dans les cas de maladie du cœur, d'artériosclérose, d'asthme bronchique et de diabète.

Acide pantothénique

Le terme pantothénique vient de «panthos», signifiant partout. Vitamine hydrosoluble, l'acide pantothénique fait partie du complexe vitaminique B. On le trouve sous la forme de pantothénate de calcium dans les suppléments vitaminiques et sous les formes de dexpanthénol et pantothénol dans les cosmétiques et produits de beauté. Il était autrefois connu sous les noms de vitamine B$_5$ (États-Unis) et vitamine B$_3$ (Europe); de nos jours le terme vitamine B$_5$ est généralement accepté. Désigné initialement sous le nom de «facteur antidermatites des poulets», il fut associé par la suite à la lutte contre le stress. C'est le Dr R.J. Williams de l'Université du Texas qui, le premier en 1939, l'isola de l'écorce du riz. La forme naturelle de l'acide pantothénique est l'acide D-pantothénique.

Les principales sources alimentaires d'acide pantothénique (en mg par 100 g) sont: levure de bière séchée (9,5), foie de porc (6,5), extrait de levure (3,8), rognons de porc (3,0), noix fraîches (2,7), son de blé (2,4), germe de blé (2,2), noix rôties (2,1), farine de soja (1,8), œufs (1,8), viandes (0,7 à 1,1), volaille (1,2), flocons d'avoine (0,9), légumes (0,75), fruits séchés (0,70), maïs (0,6), riz brun non poli (0,6), pain de grains entiers (0,6), fromage (0,4), yogourt (0,4), fruits, légumes verts et légumes racines (0,21 à 0,30). Une quantité considérable d'acide pantothénique est également produite par les bactéries de l'intestin.

L'acide pantothénique demeure *stable* en solution neutre, mais est détruit par la chaleur en présence d'acides (vinaigre) ou d'alcalins (bicarbonate). La déshydratation des aliments entraîne sa destruction de même que le rôtissage des viandes, la cuisson des aliments à l'eau, la congélation et la décongélation. De plus, le raffinage de la farine détruit près de 50% de l'acide pantothénique.

Il joue le rôle de constituant du coenzyme A nécessaire à la production d'énergie, à la conversion du cholestérol en hormones contre le stress, au contrôle du métabolisme des graisses, à la formation d'anticorps, à la désintoxication des médicaments et au maintien en santé du système nerveux en transformant la choline en acétylcholine, substance cérébrale.

La déficience en acide pantothénique n'entraîne aucun problème spécifique sauf peut-être le «syndrome des pieds brûlants». Les symptômes en sont des sensations de douleurs, des brûlures et des pulsations dans la région des pieds. Si la déficience s'accentue, les symptômes prennent la forme de douleurs aiguës et perçantes qui montent jusqu'aux genoux.

Les symptômes de déficience moins spécifiques sont la perte d'appétit, l'indigestion, les douleurs abdominales, les infections respiratoires, la névrite, les crampes dans les membres et la sensibilité des talons. Les symptômes mentaux comprennent l'insomnie, la fatigue, la dépression et la psychose. On peut en plus dénoter la présence de maux de tête, de battements de cœur rapides et de basse pression.

Chez les animaux, la déficience se manifeste par le grisonnement du poil suivi de l'alopécie, les convulsions reliées à la dégénérescence des nerfs, la dermatite, la distension intestinale et l'ulcération, l'engorgement du foie, la dégénérescence des surrénales et l'anémie accompagnée d'un manque de production de globules blancs.

L'apport alimentaire quotidien n'a pas encore été officiellement établi en Grande-Bretagne, aux États-Unis ou par l'OMS (Organisation mondiale de la santé), mais on admet généralement une dose de 10 mg par jour.

Les besoins en acide pantothénique augmentent en situation de stress, lors de traumatismes physiques et après une thérapie à base d'antibiotiques dont la streptomycine, la néomycine, la kanamycine et la viomycine, pour contrer leurs effets secondaires et leur toxicité. On s'en sert également pour accroître la résistance aux infections et réduire les réactions allergiques du système respiratoire, de la peau et des voies gastro-intestinales.

Les symptômes de *toxicité* due au pantothénate de calcium n'ont pas encore été décelés. Il semble que plusieurs grammes puissent être pris sans provoquer d'effets secondaires.

La **thérapie** à base de fortes doses de pantothénate de calcium est efficace dans le traitement de la polyarthrite rhumatoïde. On l'a utilisée pour réduire les réactions allergiques de la peau chez les enfants et combattre la sécrétion excessive de mucus associée aux allergies respiratoires chez les adultes.

Acide para-aminobenzoïque

Également connu sous les noms de PABA, vitamine Bx, vitamine bactérienne H et facteur contre le grisonnement des poils et des cheveux, l'acide para-aminobenzoïque fait partie des vitamines du complexe B sans être une véritable vitamine chez l'être humain. D.D. Woods découvrit à Oxford en 1942 que son action comme facteur de croissance des bactéries peut être bloquée par les médicaments de type sulphonamide. Le PABA joue un rôle dans la formation de l'acide folique, mais rien ne prouve que l'être humain peut fabriquer de l'acide folique en partant du PABA. Selon toute vraisemblance, les bactéries intestinales en produisent, mais l'organisme est incapable de l'utiliser.

Les principales sources alimentaires sont: le foie, les œufs, la mélasse, la levure de bière et le germe de blé. Il y a peu de chiffres disponibles, mais on sait que la levure de boulanger en contient 6 mg par kg et la levure de bière jusqu'à 100 mg par kg.

On ne connaît rien sur la *stabilité* de cette substance lors de la transformation des aliments.

On ne connaît pas précisément *les fonctions de l'acide para-aminobenzoïque*, et une déficience n'entraîne aucun symptôme spécifique chez l'humain.

Chez les animaux, le PABA participe à la synthèse des protéines de l'organisme et à la production des globules rouges du sang, probablement après sa conversion en acide folique. Il aide en outre à l'utilisation de l'acide pantothénique et peut jouer un rôle dans la prévention du cancer de la peau. *La déficience chez les animaux* entraîne de l'anémie et le grisonnement prématuré du poil.

L'apport alimentaire quotidien n'est pas officiellement établi. En Grande-Bretagne, on restreint les *suppléments* à une puissance maximale de 30 mg par unité de dose.

Les risques de *toxicité* sont peu élevés, mais de fortes doses peuvent occasionner de la nausée, des vomissements, des démangeaisons et des irritations de la peau et des dommages au foie. Il est *contre-indiqué* pendant un traitement aux sulphonamides.

La **thérapie** au PABA oral est prescrite contre le vitiligo. On s'en sert en plus de façon efficace en lotion ou crème protectrice qui agit comme un écran contre les rayons du soleil. Il peut aussi prévenir l'apparition du cancer de la peau et être employé dans les cas de troubles digestifs, de nervosité et de dépression.

Acide para-amino salicylique

L'acide para-amino salicylique est un médicament employé dans le traitement de la tuberculose; il entraîne l'absorption des vitamines A, D, E, K et B_{12}.

Acide ptéroylglutamique

Acide folique.

Acide rétinoïque

Ou vitamine A acide. C'est la forme active de la vitamine A qui participe à la croissance. L'acide rétinoïque a été utilisé comme topique pour traiter des problèmes cutanés, incluant le cancer de la peau.

Acide ribonucléique

ARN. *Voir* Acides nucléiques.

Acides biliaires

Éléments constituant la bile, requis dans le processus digestif pour émulsionner les graisses. Produits à partir du cholestérol par l'action de la vitamine C, les acides biliaires constituent donc le principal mécanisme pour réduire le taux de cholestérol sanguin.

Acides gras

Le métabolisme des acides gras dépend de la vitamine B_2 et de la vitamine C (via la carnitine dans les cellules musculaires). *Voir* Graisses et Acides gras polyinsaturés (vitamine F).

Acides gras polyinsaturés

D'abord appelés vitamine F, ils regroupent les acides linoléique, linolénique et arachidonique. Aujourd'hui ce terme ne s'applique officieusement qu'à l'acide linoléique puisque celui-ci est le précurseur des deux autres acides dans l'organisme. Connus aussi sous le nom d'acides gras essentiels. En 1929, G.O. Burr et M.M. Burr ont démontré pour la première fois que ces acides étaient indispensables pour la santé et la survie des rats. Les principales sources d'acide linoléique sont les légumes et les huiles provenant des graines. On a découvert récemment que les acides gras polyinsaturés provenant des huiles de poisson, l'acide éicosapentanoïque (EPA) et l'acide docosahexanoïque (DHA) étaient essentiels.

Les principales sources alimentaires de l'acide linoléique (en grammes par 100 g) sont: l'huile de primevère (72,70), l'huile de carthame (71,63), l'huile de soja (49,66), l'huile de maïs (47,75) l'huile de germe de blé (41,54), l'huile d'arachide (27,70), l'huile d'olive (10,51). L'huile de primevère contient, en plus de l'acide linoléique, l'acide gamma linolénique (environ 8%).

Le rôle des acides gras polyinsaturés. Ils entrent dans la composition des membranes cellulaires et de la gaine de myéline des nerfs; ils sont des précurseurs des prostaglandines (hormones) et un constituant du cholestérol estérifié et des triglycérides (réserves lipidiques de l'organisme).

Une déficience chez l'humain et chez les animaux cause de légers problèmes dermatologiques incluant une dermatite squameuse. Une carence peut entraîner de l'eczéma chez les enfants.

L'apport alimentaire recommandé n'a été établi par aucun expert, mais plusieurs suggèrent qu'au moins 25 à 35% de l'apport calorique provenant des graisses soit sous forme d'huile d'acides gras polyinsaturés.

L'utilisation thérapeutique des acides gras polyinsaturés a donné des résultats satisfaisants dans les légers problèmes dermatologiques, l'eczéma atopique, l'eczéma infantile, le syndrome prémenstruel, la sclérose en plaques, la prévention des thromboses et la réduction des taux élevés de cholestérol sanguin. L'EPA (acide éicosapentanoïque) et le DHA (acide docosahexanoïque) semblent efficaces pour augmenter le temps de coagulation («éclaircir» le sang); ils empêcheraient la formation de thromboses, réduiraient les concentrations élevées de lipides dans le sang et seraient utiles dans les cas d'angine.

Acides nucléiques

Les acides nucléiques comprennent à la fois les acides ribonucléiques (ARN) et désoxyribonucléiques (ADN). Éléments essentiels de toute cellule vivante, ils sont nécessaires à la croissance des cellules et à la transmission du code génétique. La synthèse insuffisante des acides nucléiques entraîne des problèmes de vieillissement, entre autres des pertes de mémoire. Les acides nucléiques sont employés en injections pour ralentir le processus de vieillissement.

Les vitamines nécessaires à la production régulière d'ARN et d'ADN chez l'humain sont la vitamine A, la vitamine E, la pyridoxine, l'acide folique, la vitamine B_{12} et la choline.

Ils représentent jusqu'à 12% du poids de la levure sèche.

Acné

Inflammation des glandes pilo-sébacées et sudoripares. On a traité l'acné avec des doses orales de vitamine A (2 272 µg ou 7 500 u.i. quotidiennement) et du zinc (15 mg par jour) sous forme d'acide aminé chélaté. Les lésions peuvent être traitées avec des crèmes à base de vitamine A ou d'acide rétinoïque. La vitamine F, absorbée par l'intermédiaire de trois capsules de 500 mg d'huile de primevère par jour, peut apporter un soulagement.

Les poussées d'acné accompagnant le syndrome prémenstruel répondent à 50 mg de vitamine B_6 pris quotidiennement une semaine avant les menstruations et pendant toute la durée de celles-ci.

Administration saisonnière de suppléments

L'hiver, l'organisme requiert des concentrations plus élevées de vitamine A à cause des basses températures. La diminution quantitative et qualitative du temps d'ensoleillement ainsi que la réduction de la surface de la peau exposée au soleil entraîne une demande accrue de vitamine D durant cette période. Une fréquence plus élevée des infections respiratoires ainsi que la diminution des fruits et légumes frais disponibles accentuent le besoin en vitamine C. Des suppléments de vitamines du complexe B peuvent aider à surmonter le stress causé par le froid.

Agent de conservation

Les vitamines C et E sont les seuls agents naturels qui peuvent aider à la conservation des aliments. Toutefois, les flavonoïdes peuvent aussi jouer ce rôle.

Agneau

Toutes les coupes, une fois cuites, contiennent seulement des traces des vitamines A et D et du carotène. Les taux de vitamine E se situent entre 0,04 et 0,18 mg par 100 g. C'est une source médiocre d'acide folique et de biotine. Les autres vitamines du complexe B présentes (en mg par 100 g) sont: thiamine (0,06 - 0,15), riboflavine (0,13 - 0,38), acide nicotinique (7,5 - 13,1), pyridoxine (0,11 - 0,25), acide pantothénique (0,3 - 0,7), vitamine B_{12} (1 - 2 μg par 100 g) et acide folique (2 - 4 μg par 100 g).

Les taux les plus élevés se trouvent dans les coupes plus maigres. La vitamine C est absente. *Voir* aussi Viandes: pertes lors de la cuisson.

Alcool

La consommation d'alcool augmente les besoins en vitamine C, en acide folique et en vitamines du complexe B comprenant notamment les vitamines B_1, B_6 et B_{12}.

Les effets immédiats de l'alcool peuvent être évités par des mégadoses de vitamine C (1 à 3 grammes), de vitamines B_1 (10 mg), B_6 (10 mg), B_{12} (10 μg) et d'acide folique (200 μg). L'usage chronique requiert l'absorption de toutes ces vitamines, plus de la vitamine F (huile de primevère, 150 mg) quotidiennement.

Alopécie

Perte de cheveux, calvitie. Elle est le symptôme d'une déficience en acide pantothénique chez les animaux, d'une déficience en biotine chez les renards et les visons et d'une déficience en vitamine F. Elle peut répondre au pantothénate de calcium (100 mg); à la biotine (500 μg); à l'huile de germe de blé ou de carthame (3 - 5 g); à l'acide nicotinique (35 mg); à l'acide folique (200 μg); à la vitamine B_{12} (5 μg); à la vitamine E (10 u.i.).

Alzheimer (Maladie d')

Cette maladie se produit à tout âge et se caractérise par une perte de mémoire pour les événements récents et une incapacité d'emmagasiner de nouveaux souvenirs. (*Voir* Démence sénile.) Il n'existe aucun traitement médical, mais certains peuvent répondre à 25 g par jour de lécithine, augmentant la dose de 25 g par semaine jusqu'à ce que les effets secondaires apparaissent (nausées, diarrhées, ballonnement abdominal). On revient alors à la dose précédant les effets secondaires.

Le traitement alternatif consiste en 20 g de chlorure de choline pris quotidiennement en 4 doses pendant 8 semaines, suivi d'un arrêt de 6 semaines, puis de 100 g de lécithine pris quotidiennement en 4 doses pendant 8 semaines. La mémoire, les fonctions du langage et le quotidien en sont améliorés. De fortes doses de phosphate de choline (6 capsules par jour) en phase initiale peuvent aider.

Amandes

Elles fournissent une bonne quantité de vitamine E et B. La teneur en vitamine E est de 23 mg par 100 g. Les vitamines du complexe B présentes (en mg par 100 g) sont : thiamine 0,24, riboflavine 0,92, acide nicotinique 4,7, pyridoxine 0,10, acide pantothénique 0,47. On trouve aussi de l'acide folique (96 μg par 100 g), de la biotine (0,4 μg par 100 g) et de la vitamine C à l'état de traces. Lorsque les amandes sont rôties, la teneur en thiamine est réduite à 0,05 mg par 100 g et celle de l'acide pantothénique à 0,25 mg par 100 g.

Amblyopie

Diminution de l'acuité visuelle pouvant être causée par le tabac. *Voir* Yeux.

Ananas

La mise en conserve de la partie comestible du fruit entraîne de légères pertes des vitamines présentes. L'ananas frais est une bonne source de vitamine C. Les taux de carotène sont de 60 μg pour le fruit frais et de 40 μg par 100 g pour le fruit en conserve. On trouve respectivement, dans l'ananas frais et en conserve, les vitamines B suivantes (en mg par 100 g): thiamine (0,08, 0,05), riboflavine (0,02, 0,02), acide nicotinique (0,3, 0,2), pyridoxine (0,09, 0,07), acide pantothénique (0,16, 0,10). La teneur en acide folique est de 11 μg et de 2 μg par 100 g respectivement. La biotine est présente à l'état de traces seulement.

La teneur en vitamine C se situe autour de 25 mg (variation entre 20 et 40 mg) par 100 g dans le fruit frais et de 12 mg par 100 g dans l'ananas en conserve.

Anémie

Appauvrissement du sang caractérisé par une diminution de la production de globules rouges normaux. On trouve différents types d'anémie:

– **Hémolytique**: causée par une déficience en vitamine E. Chez les enfants, le traitement consiste à prendre de 10 à 30 u.i. de vitamine E par jour sous forme hydrosoluble. Chez les adultes, l'anémie hémolytique résulte d'une mauvaise absorption des graisses. On donne alors de fortes doses orales (jusqu'à 600 u.i. par jour) ou des doses modérées (jusqu'à 200 u.i.) de la forme hydrosoluble.

– **Par déficience en fer**: nécessite 100 u.i. de vitamine C pour chaque dose de supplément de fer.

– **Mégaloblastique**: nécessite de l'acide folique, mais un diagnostic et un traitement médical sont essentiels.

– **Pernicieuse**: répond seulement à la vitamine B_{12}. Causée par une mauvaise absorption de cette vitamine; celle-ci doit être fournie en injections.

– **Par déficience en pyridoxine**: habituellement associée à la prise de contraceptifs oraux. On peut la prévenir avec 25 mg de vitamine B_6 pris quotidiennement.

– **Par déficience en riboflavine**: probablement causée par une diminution de l'activation de l'acide folique, qui dépend de la riboflavine. On la prévient avec 10 mg de vitamine B_2 chaque jour.

– **À hématies falciformes**: peut répondre dans certains cas à 450 u.i. de vitamine E prises quotidiennement.

– **Thalassémie ou anémie méditerranéenne**: peut répondre à l'absorption de 400 à 600 u.i. de vitamine E par jour.

Anémie mégaloblastique

Ce type d'anémie est caractérisé par l'apparition de gros globules rouges du sang (hématies) qui sont immatures et qui ont une longévité réduite. Cette maladie peut résulter d'une déficience en acide folique, en vitamine B_{12} ou en pyridoxine. Le seul traitement consiste essentiellement à combler de façon spécifique l'insuffisance vitaminique.

Anémie pernicieuse

L'anémie pernicieuse est un type d'anémie caractérisé par des symptômes non spécifiques: perte d'appétit, constipation alternant avec de la diarrhée, en plus de vagues douleurs abdominales et d'une perte de poids considérable. Un symptôme plus spécifique est la sensation de brûlure sur la langue ou glossite. Il se développe plus tard des troubles du système nerveux comme le fourmillement des extrémités, l'irritabilité, la dépression, le délire, la paranoïa et la perte de sensation dans les extrémités.

Le seul traitement consiste en l'administration de vitamine B_{12} en injections et doit se poursuivre tout au long de la vie.

Angine

Ou angine de poitrine; elle se caractérise par une douleur intense dans la poitrine, qui irradie habituellement dans le bras et l'épaule. Elle a été traitée avec de fortes doses de vitamine E (800 u.i. et plus selon la réponse). On a rapporté une réponse favorable à 15 g de lécithine par jour. Les résultats préliminaires de l'utilisation de vitamine F provenant des huiles de poissons semblent prometteurs (acides éicosapentanoïque et docosahexaoïque, EPA et DHA, 1 500 mg par jour). Toute thérapie vitaminique est compatible avec les autres traitements médicamenteux.

Anomalies métaboliques congénitales

C'est un terme introduit par Sir Archibald Garrod en 1908 pour décrire les troubles causés par une déficience ou une erreur génétique concernant un seul gène. Ces troubles sont le résultat d'une mutation spontanée ou induite chez un ou les deux parents et qui affecte la composition du matériel génétique du fœtus. Ces anomalies sont donc potentiellement présentes au moment de la conception. On les distingue des maladies congénitales acquises, qui résultent d'une anomalie se produisant dans l'utérus.

Quelques centaines d'anomalies métaboliques congénitales ont été décrites et il y en a probablement autant qui n'ont pas encore été découvertes. Certaines d'entre elles répondent à un traitement vitaminique spécifique, habituellement à des taux beaucoup plus élevés que ceux qu'on obtient normalement dans l'alimentation. Le trouble provient souvent soit du fait qu'une enzyme requiert une vitamine spécifique pour être activée, soit d'un défaut d'absorption d'une vitamine ou d'une incapacité de la transporter, ou encore de l'incapacité de convertir une vitamine en sa forme active.

Voici des exemples d'anomalies métaboliques congénitales dans lesquelles des vitamines sont concernées:

Thiamine
1. Certains types de maladies caractérisées par une urine à odeur de sirop d'érable entraînent un retard dans le développement du système nerveux causé par une enzyme défectueuse qui requiert le pyrophosphate de thiamine comme coenzyme. Elles répondent à 10 mg de thiamine par jour.
2. Acidose lactique: caractérisée par une hypoglycémie persistante et une acidose due à l'accumulation d'acide lactique. L'enzyme déficiente est le pyruvate carboxylase. Elle répond à 10 mg de thiamine par jour.

Nicotinamide
1. Maladie de Hartnup: caractérisée par un rash cutané intermittent et un désordre mental, symptômes similaires à ceux de la pellagre. Elle est partiellement causée par une absorption intestinale altérée du tryptophane, un acide aminé précurseur de la nicotinamide. Les symptômes cutanés et mentaux répondent à un traitement quotidien de 100 mg de nicotinamide.
2. Hydroxycynuréninurie: caractérisée par une déficience mentale légère, une petite taille, une éruption fessière et une ulcération buccale. Elle répond à 100 mg de nicotinamide par jour.

Pyridoxine
1. Convulsions infantiles: les symptômes sont des convulsions, une irritabilité excessive et le sens de l'ouïe exacerbé immédiatement après la naissance. Elle répond à une dose quotidienne de 10 mg de pyridoxine. Le traitement doit se poursuivre pendant plusieurs années.
2. Cystathioninurie: les symptômes sont une arriération mentale et des anomalies congénitales, une tendance à saigner plus facilement, des anomalies de la glande pituitaire. Cette maladie est causée par une accumulation de l'acide aminé cystathionine dans le sang et l'urine, l'organisme étant incapable de le métaboliser en raison d'une défectuosité du phosphate de pyridoxal, coenzyme de l'enzyme cystathioninase. Répond à de fortes doses de pyridoxine (plus de 10 mg par jour).
3. Anémie hypochrome: anémie caractérisée par une grande concentration sérique de fer et une augmentation de fer entreposé, résultant d'une défectuosité de l'enzyme acide delta amino laevulinique synthétase. Elle répond habituellement, mais pas toujours, à de larges doses de pyridoxine (20 à 100 mg par jour).
4. Homocystinurie: se caractérise par une excrétion excessive de l'acide aminé homocystine dans l'urine. Quelques cas répondent à de très grosses doses de pyridoxine, de l'ordre de 200 à 500 mg par jour.
5. Acidurie xanthurénique: se caractérise par une excrétion excessive d'acide xanthurénique après un repas riche en tryptophane. Les symptômes consistent en un état mental anormal. Elle répond parfois à des doses élevées de pyridoxine, jusqu'à 200 mg par jour.

Biotine

Acidémie propionique: l'acidose chez le nouveau-né vient d'une accumulation d'acide propionique dans le sang. Elle est causée par une défectuosité de l'enzyme propionyl Co A carboxylase, qui requiert la biotine. Elle répond bien à 10 mg de biotine par jour.

Acide folique

1. Malabsorption folique congénitale: la déficience en acide folique résulte d'une défectuosité de son absorption à partir des aliments et d'une incapacité de transporter cette vitamine. Elle se caractérise par de l'anémie, une arriération mentale, des convulsions, des mouvements involontaires, une altération des mouvements involontaires. L'anémie répond à des doses d'acide folique de 40 mg par jour, mais il est possible que cela n'ait aucun effet sur les convulsions.

2. Déficience de l'enzyme formimino-transférase: le symptôme est un retard dans le développement physique et mental; il y a une augmentation du taux d'acide folique dans le sang. Ces troubles ont un rapport avec l'acide folique, mais ne répondent pas au traitement.

Vitamine B_{12}

1. Mauvaise absorption de la vitamine, le facteur intrinsèque n'étant pas en cause; caractérisée par une anémie mégaloblastique répondant seulement aux injections de vitamine B_{12}.

2. Défaut congénital du facteur intrinsèque qui se manifeste tôt au début de la vie. Il est dû à une non-production du facteur intrinsèque. L'étiologie est inconnue. Les injections de vitamine B_{12} donnent de bons résultats.

3. Anémie mégaloblastique due au manque d'une protéine spécifique au transport de la vitamine B_{12} dans le sang, la transcobalamine II. Elle se produit généralement chez le nouveau-né. Elle répond à des injections de 1 mg de vitamine B_{12} sur une base régulière et prolongée.

4. Défaut d'une autre protéine spécifique au transport sanguin de la vitamine B_{12}, la transcobalamine I. On observe un faible taux sanguin de vitamine B_{12}, mais aucun autre symptôme de déficience n'apparaît.

5. Acidurie méthylmalonique: acidose chez le nouveau-né; on trouve une grande quantité d'acide méthylmalonique dans l'urine. Elle est due à l'incapacité d'élaborer le coenzyme de la vitamine B_{12} appelé 5-déoxyadénosyl cobalamine. Elle répond à de fréquentes injections de hautes doses de vitamine B_{12} (1 mg) ou de son coenzyme.

Vitamine A

État causé par l'incapacité de convertir le carotène en vitamine A. On rapporte un seul cas dont les symptômes comprennent la cécité nocturne, la sécheresse des yeux (taches de Bitôt), un faible taux plasmatique de vitamine A et une forte concentration sanguine de carotène. Cette anomalie peut être traitée par l'administration de la vitamine A préformée.

Vitamine D

1. Rachitisme héréditaire vitamino résistant accompagné d'hypophosphaté-mie: faible taux de phosphate dans le sang, mais le niveau de calcium est normal. La principale anomalie est l'incapacité des reins de réabsorber les phosphates. La maladie se manifeste principalement par le rachitisme, l'ostéomalacie et le nanisme. Le traitement consiste en des doses massives quotidiennes de vitamine D (2,5 μg ou 100 000 u.i.), mais celles-ci peuvent causer une intoxication. Des doses orales éle-vées de phosphate pourraient donner de meilleurs résultats.

2. Syndrome de Fanconi: rachitisme ou ostéomalacie accompagné d'un faible taux de phosphate sanguin résistant à l'apport normal de vitamine D, causé par une incapacité des reins d'acidifier l'urine. Par conséquent, on observe un faible taux de potassium dans le sang. Il se produit une accumulation sanguine de l'acide aminé cystine et une excrétion massive des acides aminés dans l'urine. Le syndrome de Fanconi peut répondre à des doses massives de vitamine D, mais on devra sur-veiller l'apparition possible des effets toxiques.

3. Acidose tubulaire rénale primaire: affecte habituellement les filles à la préadolescence. Elle est caractérisée par une acidose chronique, de l'ostéomalacie, des dépôts de calcium aux reins, des calculs rénaux. Une augmentation de l'excré-tion de calcium et de phosphate dans l'urine diminue le taux sanguin de ces minéraux. On traite l'acidose avec du citrate. La vitamine D est requise dans cer-tains cas, mais ce n'est pas un traitement classique.

Antagonistes

Substances qui neutralisent l'action des vitamines ou qui les bloquent. Ils peu-vent être produits naturellement ou synthétiquement. Ils sont utilisés en recherche pour induire rapidement une déficience vitaminique.

Voici des exemples d'antagonistes:

Vitamine A: l'huile minérale (paraffine liquide).

Vitamine B: l'alcool, l'enzyme thiaminase présente dans le poisson cru (détruit la vitamine B_1), les antibiotiques, l'excès de sucre.

Vitamine B_2: l'alcool, les antibiotiques, la leucine (acide aminé présent en forte con-centration dans le millet), la niacytine sous forme liée non absorbable dans les pommes de terre et le maïs, libérée seulement en présence d'alcalins, l'excès de sucre.

Vitamine B_6: la désoxypyridoxine, l'isoniazide, l'hydralazine, la pénicillamine, la Lévodopa.

Acide folique: l'aminoptérine, l'alcool, les contraceptifs oraux, la phénytoïne, la primidone.

Vitamine B_{12}: les contraceptifs oraux, les parasites intestinaux, l'excès d'acide fo-lique, les acides de la vitamine B_{12}.

Biotine: les antibiotiques, les sulfamides, l'avidine présente dans les blancs d'œufs crus.

Choline: l'alcool, l'excès de sucre.

Inositol: les antibiotiques.

Acide pantothénique: le bromure de méthyle utilisé comme fumigateur dans la nour-riture, l'acide oméga-méthyle pantothénique.

Vitamine D: l'huile minérale.

Vitamine E: les contraceptifs oraux, l'huile minérale, le fer sous forme ferrique, les graisses et les huiles rances, l'excès d'acides gras polyinsaturés.

Vitamine C: l'aspirine, les corticostéroïdes, l'indométhacine, la fumée de cigarette, l'alcool.

Vitamine K: la warfarine, le dicoumarol.

Antibiotiques

Médicaments utilisés pour combattre les maladies infectieuses. Pris oralement, ils peuvent détruire les bactéries intestinales utiles qui fournissent une partie des vitamines B et la vitamine K. De fortes doses du complexe vitaminique B peuvent soulager les effets indésirables des antibiotiques dans le système gastro-intestinal.

Apport alimentaire recommandé

Aux États-Unis, on utilise plutôt les termes suivants: taux quotidiens recommandés d'éléments nutritifs. Ce sont les concentrations vitaminiques minimales requises quotidiennement pour prévenir les symptômes qu'entraîne une déficience. Ces concentrations ne sont pas nécessairement suffisantes pour maintenir la santé à son optimum.

Afin d'assurer l'innocuité des taux recommandés, les gouvernements doivent tenir compte de trois variables:

1. Les besoins varient d'un individu à l'autre; aussi, pour ne présenter aucun danger, les concentrations doivent répondre aux besoins de 95% de la population.

2. L'augmentation possible des besoins lors de situations légèrement stressantes de la vie doit être prise en considération. Toutefois, les autorités ne tiennent pas compte des besoins supplémentaires qu'entraînent les infections, les blessures et autres maladies.

3. La disponibilité des vitamines n'est pas la même dans tous les aliments. Il faut en tenir compte.

Les concentrations recommandées diffèrent parfois d'un pays à l'autre, reflétant ainsi les variations dans la façon d'établir ces données. De plus, le nombre de vitamines pour lesquelles l'apport alimentaire quotidien a été établi varie selon les pays. (Voir les tableaux 1 et 2.)

Tableau 1. Apport alimentaire recommandé chez les adultes

		Au	Ca	Dn	RFA	Fi	RDA	H	I	P-B	No	N-Z	Ro	E	Su	R-U	É.-U.	URSS	OMS/OAA
VITAMINE A µg	Femme	750	800	1000	900	750	900	750	750	450	750	750	1500	750	900	750	800	1500	750
	Homme	–	1000	–	–	–	–	–	–	–	–	–	–	–	–	–	1000	–	–
THIAMINE mg	Femme	1,1	1,1	1,0	1,0	0,8	0,9	1,1	0,9	0,8	1,0	1,2	1,8	0,9	1,0	0,9	1,0	1,5	0,9
	Homme	–	1,0	1,4	1,4	1,5	1,5	1,6	–	1,0	1,4	–	2,1	1,2	1,4	1,1	1,4	1,8	1,2
RIBOFLAVINE mg	Femme	1,4	1,1	1,2	1,4	1,3	1,5	1,5	1,2	1,2	1,5	1,7	2,0	1,3	1,3	1,3	1,2	2,0	1,3
	Homme	–	1,7	1,6	2,0	1,6	1,6	–	1,6	1,5	1,7	–	2,4	1,5	–	–	–	2,4	–
PYRIDOXINE mg	Femme	1,5	1,5	1,6	1,8	–	–	–	–	–	–	2,0	1,7	–	–	2,0	2,0	1,8	–
	Homme	–	1,5	1,6	1,6	–	–	–	–	–	2,0	–	–	–	–	–	–	2,1	–
VITAMINE B, B₁₂ µg	Femme	2,0	3,0	3,0	5,0	–	–	–	2,0	–	–	3,0	–	2,0	–	3,0	3,0	–	2,0
ACIDE PANTOTHÉNIQUE mg		–	–	–	8,0	–	–	–	–	–	–	–	–	–	–	–	–	–	–
VITAMINE C mg	Femme	30	30	45	75	30	70	30	45	50	30	60	75	30	55	30	45	64	30
	Homme	–	–	–	–	–	–	–	–	–	–	–	85	–	60	–	–	75	–
BIOFLAVONOÏDES mg	Femme	–	–	–	–	–	–	–	–	–	–	–	10	–	–	–	–	17	–
	Homme	–	–	–	–	–	–	–	–	–	–	–	–	–	–	–	–	–	–
VITAMINE E mg	Femme	–	8	12	12	–	–	–	–	–	–	13,5	16	–	–	12	12	–	–
	Homme	–	6	15	12	–	–	–	–	–	–	10	18	–	–	–	15	–	–
VITAMINE D mg	Femme	10	2,5	2,5	2,5	2,5	2,5	2,5	2,5	2,5	2,5	10	2,5	2,5	2,5	2,5	5,0	–	2,5
	Homme	–	–	–	–	–	–	–	–	–	–	–	–	–	–	–	7,0	–	–

Clé

Au = Australie
Ca = Canada
Dn = Danemark
E = Espagne
É.-U. = États-Unis d'Amérique
Fi = Finlande
H = Hongrie
I = Italie
No = Norvège
N-Z = Nouvelle-Zélande
OAA = Organisation de l'Agriculture et de l'Aliment
OMS = Organisation mondiale de la santé
P-B = Pays-Bas
RDA = Allemagne de l'Est
RFA = Allemagne de l'Ouest
R-U = Royaume-Uni
URSS = Russie
Su = Suède

Tableau 2. Apport alimentaire recommandé chez les enfants

PAYS	ÂGE (années)	SEXE	VIT. A μg	VIT. D μg	VIT. E mg	VIT. B$_1$ mg	VIT. B$_2$ mg	ACIDE NICOTINIQUE mg	VIT. B$_6$ mg	ACIDE FOLIQUE μg	VIT. B$_{12}$ μg	VIT. C mg
AUSTRALIE	0-0,5	M-F	-	-	-	-	-	-	0,25	-	-	-
	1-2	M-F	250	10	-	0,5	0,7	9	0,6	100	0,9	30
	13-14	M-F	725	-	-	1,0	1,3	17	1,5	200	2,0	40
	16-17	M-F	750	-	-	1,2	1,5	20	2,0	200	2,0	50
NOUVELLE-ZÉLANDE	0-0,5	M-F	300	7,5	5	0,2	0,4	5	0,4	50	0,3	20
	1-2	M-F	300	10	5	0,6	0,7	8	0,6	100	0,3	25
	13-14	M-F	725	10	10	0,9	1,4	16	1,6	200	3,0	45
	16-17	M-F	750	10	13,5	1,2	1,7	19	2,0	200	3,0	60
É.-U.	0-0,5	M-F	420	10	3	0,3	0,6	6	0,3	30	0,5	35
	0,5-1,0	M-F	400	10	4	0,5	0,4	8	0,6	45	1,5	35
	1-3	M-F	400	10	5	0,7	0,8	9	0,9	100	2,0	45
	4-6	M-F	500	10	6	0,9	1,0	11	1,3	200	2,5	45
	7-10	M-F	700	10	7	1,2	1,4	16	1,6	300	3,0	45
	11-14	M	1000	10	8	1,4	1,6	18	1,8	400	3,0	50
		F	800	10	8	1,1	1,3	15	1,8	400	3,0	50
	15-18	M	1000	10	10	1,4	1,7	18	2,0	400	3,0	60
		F	800	10	8	1,1	1,3	14	2,0	400	3,0	60
OMS/OAA	0-1,0	M-F	300	10	-	0,3	0,5	5,4	-	60	0,3	20
	1-3	M-F	250	10	-	0,5	0,8	9,0	-	100	0,9	20
	4-6	M-F	300	10	-	0,7	1,1	12,1	-	100	1,5	20
	7-9	M-F	400	2,5	-	0,9	1,3	14,5	-	100	1,5	20
	10-12	M	575	2,5	-	1,0	1,6	17,2	-	100	2,0	20
		F	575	2,5	-	0,9	1,4	15,5	-	100	2,0	20
	13-15	M	725	2,5	-	1,2	1,7	19,1	-	200	2,0	30
		F	725	2,5	-	1,0	1,5	16,4	-	200	2,0	30
	16-19	M	750	2,5	-	1,2	1,8	20,3	-	200	2,0	30
		F	750	2,5	-	0,9	1,4	15,2	-	200	2,0	30

Tableau 2. **Apport alimentaire recommandé chez les enfants** (*suite*)

PAYS	ÂGE (années)	SEXE	VIT. A µg	VIT. D µg	VIT. E mg	VIT. B$_1$ mg	VIT. B$_2$ mg	ACIDE NICOTINIQUE mg	VIT. B$_6$ mg	ACIDE FOLIQUE µg **	VIT. B$_{12}$ µg	VIT. C mg
ROYAUME-UNI	0-1	M	450	7,5	–	0,3	0,4	5	–	–	–	20
	0-1	F	450	7,5	–	0,3	0,4	5	–	–	–	20
	1	M	300	10	–	0,5	0,6	7	–	–	–	20
	1	F	300	10	–	0,4	0,6	7	–	–	–	20
	2	M	300	10	–	0,6	0,7	8	–	–	–	20
	2	F	300	10	–	0,5	0,7	8	–	–	–	20
	3-4	M	300	10	–	0,6	0,8	9	–	–	–	20
	3-4	F	300	10	–	0,6	0,8	9	–	–	–	20
	5-6	M	300	10*	–	0,7	0,9	10	–	–	–	20
	5-6	F	300	10	–	0,7	0,9	10	–	–	–	20
	7-8	M	400	10	–	0,8	1,0	11	–	–	–	20
	7-8	F	400	10	–	0,8	1,0	11	–	–	–	20
	9-11	M	575	10	–	0,9	1,2	14	–	–	–	25
	9-11	F	575	10	–	0,8	1,2	14	–	–	–	25
	12-14	M	725	10	–	1,1	1,4	16	–	–	–	25
	12-14	F	725	10	–	0,9	1,4	16	–	–	–	25
	15-17	M	750	10	–	1,2	1,7	19	–	–	–	30
	15-17	F	750	10	–	0,9	1,7	19	–	–	–	30

*Des suppléments de 10 µg de vitamine D par jour sont recommandés pendant l'hiver pour les enfants âgés de 5 ans et plus.
**La prise d'acide folique n'est pas recommandée.

Arachides

Les arachides fournissent de bonnes quantités de vitamine E et de vitamines du complexe B. Le rôtissage et le salage des arachides leur font perdre une partie des vitamines du complexe B.

Les arachides fraîches et rôties salées procurent une quantité identique de vitamine E, soit 16,9 mg par 100 g. Les taux de vitamines du complexe B varient toutefois dans les arachides fraîches et rôties salées; ils sont respectivement (en mg par 100 mg): thiamine (0,90, 0,23), riboflavine (0,10, 0,10), acide nicotinique (21,3, 21,3), pyridoxine (0,50, 0,40) et acide pantothénique (2,7, 2,1). Non décelable dans les arachides rôties salées, l'acide folique a une concentration de 110 µg par 100 g dans les arachides fraîches. Dans les deux cas, la vitamine C est présente à l'état de traces seulement.

Artériosclérose

Durcissement des artères. L'artériosclérose est traitée avec de la lécithine (15 - 20 g par jour), de la vitamine E (400 u.i. deux fois par jour), de la vitamine C (jusqu'à 3 g par jour) et de la vitamine A (7 500 u.i. par jour). Comme traitement préventif, particulièrement chez les diabétiques, on ajoute à la diète de la lécithine (5 g), de la vitamine E (400 u.i.), de la vitamine C (500 mg) et de la vitamine A (7 500 u.i.) quotidiennement.

Arthrite

Arthrite rhumatoïde, inflammation des articulations.

Ostéo-arthrite, maladie dégénérative des articulations caractérisée par une calcification des excroissances du cartilage.

L'arthrite rhumatoïde peut répondre au pantothénate de calcium pris ainsi: 500 mg quotidiennement pendant 2 jours, puis 1 000 mg pendant 3 jours, 1 500 mg pendant 4 jours et 2 000 mg quotidiennement par la suite pour une période de 2 mois ou jusqu'à ce qu'un soulagement soit obtenu. La dose quotidienne est alors ajustée; elle correspond à la dose minimale nécessaire au maintien du soulagement.

L'ostéo-arthrite et l'arthrite rhumatoïde peuvent être soulagées avec 400 mg de vitamine C par jour en doses fractionnées.

Les deux types d'arthrite peuvent répondre à de fortes doses (3 - 6 g par jour) de nicotinamide (1er choix) ou d'acide nicotinique. Les doses préventives supplémentaires sont 100 mg de pantothénate de calcium, 500 mg de vitamine C et 100 mg de nicotinamide quotidiennement.

Artichauts

Bouillis, ils fournissent de la vitamine A sous forme de carotène (40 -90 µg par 100 g) et des traces de vitamine E (0,2 mg). La teneur en vitamines du complexe B est faible; mise à part la vitamine B_{12}, on trouve les vitamines suivantes (en mg par 100 g): thiamine (0,03 - 0,10), riboflavine (0,01 - 0,03), acide nicotinique (0,3 - 1,1), pyridoxine (0,02 -0,07), acide pantothénique (0,07 - 0,21). L'acide folique et la biotine sont présents à l'état de traces, et la vitamine C à des concentrations variant de 2 à 8 mg par 100 g.

Asperges

Lorsqu'elles sont bouillies, elles constituent une bonne source de carotène (500 µg par 100 g). Elles fournissent aussi de la vitamine E (2,5 mg par 100 g). Les vitamines du complexe B présentes (en mg par 100 g) incluent: la thiamine 0,10, la riboflavine 0,08, l'acide nicotinique 1,4, la pyridoxine 0,04 et l'acide pantothénique 0,13. On trouve de l'acide folique (30 µg) et de la biotine (0,4 mg par 100 g). C'est une excellente source de vitamine C (200 mg par 100 g).

Aspirine

(ASA), médicament analgésique et antipyrétique. L'aspirine réduit les taux de vitamine C de l'organisme par destruction et excrétion excessive. L'ASA produit des saignements gastriques. Tous les effets secondaires de l'aspirine peuvent être réduits en prenant 100 mg de vitamine C avec chaque comprimé. Ceci augmente en même temps l'absorption de l'aspirine.

L'utilisation de la thiamine et de l'acide folique est affectée par l'ASA.

Asthme

Affection respiratoire caractérisée par des crises où la respiration devient difficile et par des sensations de constriction et de suffocation. Le traitement avec de la vitamine B_6 peut être efficace chez certains enfants et adultes. La dose habituelle est de 100 mg deux fois par jour. Une fois le soulagement obtenu (généralement après 1 mois), la dose de maintien peut être diminuée en fonction de l'individu. Les enfants dépendants de la vitamine B_6 semblent répondre mieux au traitement. Celle-ci peut être prise avec tous les médicaments antihistaminiques. La vitamine C pourrait aussi aider quelques asthmatiques en diminuant les symptômes lors des crises. La dose habituelle est de 1 g aux 6 heures.

Athérosclérose

Dépôt de gras sur les parois des artères causant une constriction des vaisseaux sanguins.

On traite l'athérosclérose avec de la vitamine F sous forme d'huile végétale, de margarine (acide gras polyinsaturé) et de lécithine de soja. Il faut éviter les graisses animales saturées. La synthèse de la lécithine dans l'organisme est assurée par un apport adéquat de vitamine B_6 (25 mg), de vitamine C (1 000 mg) et de vitamine E (800 u.i.) par jour.

On peut prévenir l'athérosclérose en remplaçant les graisses animales par des huiles végétales et de la margarine et une prise quotidienne de lécithine de soja (5 g), de vitamine B_6 (10 mg), de vitamine C (500 mg) et de vitamine E (400 u.i.). De récentes études ont été faites sur les huiles de poisson contenant de la vitamine F sous forme d'acides gras EPA et DHA dans la prévention et le traitement de l'athérosclérose à des doses de 900 à 1 800 mg par jour.

Athlètes

Le stress mental et physique associé à la compétition et à l'entraînement augmente les besoins en vitamines et minéraux et en calories. Les athlètes requièrent plus particulièrement un supplément du complexe vitaminique B pour profiter de la pleine utilisation du surplus de calories ingérées et pour s'assurer un apport adéquat des hormones anti-stress à partir des glandes surrénales; les athlètes féminines, en outre, y obtiennent le supplément de pyridoxine dont la plupart ont besoin. La vitamine C est aussi essentielle pour la production des hormones anti-stress et pour assurer aux muscles leur plein potentiel énergétique. On attribue à l'acide pangamique des fonctions similaires.

Les besoins minimaux sont probablement satisfaits avec 1 500 mg de vitamine C, 1 000 u.i. de vitamine E, 150 mg d'acide pangamique et les vitamines du complexe B en forte concentration.

Aubergines

Elles sont complètement dépourvues de vitamines liposolubles. Les vitamines du complexe B présentes (en mg par 100 g) incluent: thiamine 0,05, riboflavine 0,03, acide nicotinique 0,9, pyridoxine 0,08 et acide pantothénique 0,22. L'acide folique est présent à des concentrations de 20 µg par 100 g.

Augmentation de la valeur nutritive des aliments (L')

Elle se divise en trois catégories si l'on considère l'addition de vitamines.
1. **Restauration du contenu vitaminique original**. Dans les pays où elle se fait pour la farine blanche, la reconstitution est réglementée, mais la quantité de vitamines ajoutée varie d'un pays à l'autre. Les concentrations vitaminiques recommandées pour la farine blanche (en mg par kg de farine) sont données dans le tableau suivant:

Tableau 3. **Concentrations vitaminiques recommandées pour la farine blanche**

	Thiamine	Riboflavine	Acide nicotinique
Brésil	4,50	2,50	—
Canada	4,18	2,42	3,05
Danemark	5,00	5,00	—
Allemagne	3,00 - 4,00	1,5 - 5,00	20,0
G.-Bretagne	2,40	—	16,0
Suède	2,60 - 4,00	1,20	23,0 - 40,0
Suisse	4,18	2,53	50,0
É.-U.	4,18	2,42 - 2,53	30,5
URSS	4,00	4,00	20,0

Lorsque le riz fait partie du régime de base d'un pays, on y ajoute des vitamines.

La vitamine C est ajoutée à la plupart des pommes de terre déshydratées, quelle que soit la marque de commerce, afin de compenser la vitamine détruite lors du procédé de séchage. Toutefois, cette reconstitution n'est pas obligatoire.

La vitamine E est ajoutée à quelques huiles végétales pour remplacer les pertes se produisant lors du processus de raffinage. Plusieurs céréales cuites sont additionnées de thiamine, de riboflavine et d'acide nicotinique pour remplacer les vitamines perdues lors du processus de raffinage et de la préparation industrielle, mais ceci n'est pas obligatoire.

2. **Enrichissement**. On ajoute de la vitamine pour obtenir des concentrations supérieures à ce que l'aliment contenait originalement. L'addition de vitamine C aux jus de fruits et boissons, de vitamine A au lait, de toutes les vitamines au lait en poudre sont quelques exemples d'enrichissement.

3. **Addition de vitamines absentes**. On ajoute des vitamines à des aliments qui en sont habituellement dépourvus dans le but d'assurer à ces aliments une concentration vitaminique équivalente à celle qu'on trouve dans leurs substituts. La margarine en est un exemple. Elle est produite par le durcissement des huiles végétales (margarine dure) ou par un mélange d'huile végétale et d'huiles partiellement durcies (margarine molle). Ainsi produites, les margarines sont dépourvues des vitamines A et D. Pour obtenir un contenu vitaminique équivalent à celui présent dans le beurre, on doit ajouter ces vitamines. Parfois aussi on ajoute de la vitamine E et des graisses polyinsaturées afin d'augmenter l'apport de ces nutriments essentiels. L'addition des vitamines A et D à la margarine est réglementée au Royaume-Uni, tandis que l'ajout des autres vitamines n'est pas obligatoire.

La substitution des protéines animales par des protéines végétales moins coûteuses requiert vraisemblablement l'emploi de vitamines. La protéine de soja est fortement affectée par la préparation industrielle et le raffinage. Afin de rendre équivalentes ces deux sources de protéines, il faudra y ajouter la plupart des vitamines mais plus particulièrement la vitamine B_{12}, puisque la protéine de soja en est complètement dépourvue.

Autisme

Trouble de la personnalité chez les enfants, caractérisé par un repli sur soi et finalement un arrêt de toute communication avec le monde extérieur.

L'autisme a été traité avec des mégadoses de vitamines incluant la vitamine C (1, 2 ou 3 g), la nicotinamide (1, 2 ou 3 g), la vitamine B_6 (150 - 450 mg), le pantothénate de calcium (200 mg) et des préparations à fortes doses du complexe vitaminique B adaptées à l'âge de l'enfant, prises quotidiennement.

Avidine

Protéine unique qui provient des blancs d'œufs crus et qui lie la biotine, la rendant ainsi inapte à l'absorption.

La cuisson des œufs détruit l'avidine et libère la biotine.

Avocats

Ils sont une bonne source de la plupart des vitamines. On a prétendu que les avocats contenaient de la vitamine D, mais ceci n'a pu être confirmé. Le carotène présent est de 100 μg par 100 g et la vitamine E de 3,2 mg par 100 g. Les vitamines du complexe B présentes (en mg par 100 g) sont: thiamine 0,10, riboflavine 0,10, acide nicotinique 1,8, pyridoxine 0,42 et acide pantothénique 1,07. Le taux d'acide folique est de 66 μg par 100 g, celui de la biotine de 3,2 mg par 100 g. Les avocats sont une bonne source de vitamine C, dont ils fournissent 15 mg par 100 g (variation entre 5 et 30 mg).

B

B₁ (Vitamine)

Vitamine hydrosoluble, membre du complexe vitaminique B.

Connue aussi sous le nom de thiamine et aneurine. Elle est présente dans les suppléments sous forme de chlorhydrate ou de nitrate.

Les Drs B.C.P. Vansen et W.F. Donath l'ont isolée des résidus du polissage du riz, pour la première fois en 1926.

Principales sources (en mg par 100 g)		Destruction par
Levure de bière séchée	15,6	Les alcalins, comme la levure
Extraits de levure	3,1	chimique (poudre à pâte), le soda et
Riz brun brut	2,93	le bioxyde de soufre (un agent
Germe de blé	2,00	conservateur)
Noix crues	0,90	Pertes dans l'eau de cuisson et dans
Porc	0,90	l'eau de décongélation
Son	0,89	
Farine de soja	0,75	**Fonctions**
Flocons d'avoine	0,55	Agit comme coenzyme en
Grains de blé	0,46	convertissant les hydrates de carbone
Foie	0,32	en énergie dans les muscles et le
Pain de blé entier	0,26	système nerveux

Apport quotidien recommandé

Dépend du nombre de calories ingérées (0,096 mg de vitamine B₁ par 240 calories).

Résultat d'une déficience

Béribéri, maladie mortelle rare en Europe et dans les pays occidentaux.

Symptômes d'une déficience

Perte d'appétit
Nausées
Faiblesse musculaire
Désordres digestifs
Fatigue avec moindre effort
Irritabilité
Dépression
Détérioration de la mémoire
Manque de concentration
Constipation
Douleurs abdominales
Affaiblissement des mollets
Fourmillements et sensations de
brûlures aux orteils et à la plante des
pieds

Utilisations thérapeutiques

Béribéri
Amélioration de l'habileté mentale
Insecticide
Indigestions
Amélioration des fonctions du cœur
Alcoolisme
Lumbago
Sciatique
Névralgie du trijumeau
Paralysie du visage
Névrite optique (50 à 600 mg par jour)

Causes de déficience

Grossesse et lactation
Fièvre
Chirurgie
Activité physique
Stress
Abus d'alcool
Abus d'anti-acides
Âge

Symptômes de toxicité

Aucun problème de toxicité n'a été
relevé pour des doses orales même
élevées.

B₂ (Vitamine)

Vitamine hydrosoluble, membre du complexe vitaminique B de couleur jaune vif, connue aussi sous les noms de riboflavine, lactoflavine, vitamine G. Elle a été isolée du petit-lait par le Dr R. Khum en 1933, après avoir été trouvée dans la levure par le Dr O. Warburg en 1932.

Principales sources (en mg par 100 g)		Destruction par
Extraits de levure	11,0	La chaleur en solution alcaline
Levure de bière séchée	4,3	La lumière
Foie	2 à 30,0	L'extraction par l'eau de cuisson
Germe de blé	0,68	
Fromage	0,19 à 0,50	
Œufs entiers	0,47	
Son	0,36	

Viande	0,16 à 0,28
Farine de soja	0,31
Yogourt	0,26
Lait	0,19
Légumes verts	0,25
Légumineuses	0,15

Fonctions

Agit comme coenzyme appelé ester phosphorique de la riboflavine (FMN) et comme coenzyme appelé flavine-adénine-dinucléotide (FAD), tous deux essentiels à la conversion en énergie des acides aminés, acides gras et sucres provenant des protéines, graisses et féculents
Production et réparation des tissus de l'organisme
Maintien des muqueuses en bon état
Catalyse la conversion du tryptophane en acide nicotinique

Apport quotidien recommandé

0,4 mg (bébés)
1,7 mg (jeunes garçons)
1,6 mg (jeunes filles)
1,3 mg (femmes)
1,6 mg (grossesse)
1,8 mg (lactation)

Symptômes de déficience

Fissures et ulcères aux commissures des lèvres
Inflammation de la langue et des lèvres
Yeux injectés de sang
Sensation de brûlure avec impression de sable sous les paupières
Yeux fatigués, sensibles à la lumière
Desquamation de la peau du visage
Perte de cheveux
Tremblements
Étourdissements
Insomnie
Ralentissement de l'apprentissage

Causes de déficience

Alcool
Tabac
Contraceptifs oraux

Symptômes de toxicité

Aucun n'a été trouvé
La vitamine B_2 est utilisée comme colorant alimentaire

Utilisations thérapeutiques

Ulcères de la bouche
Ulcères gastriques ou duodénaux
Ulcères de la cornée de l'œil et parfois cataractes

B_6 (Vitamine)

Vitamine hydrosoluble, membre du complexe vitaminique B. Connue sous le nom de pyridoxine, elle existe aussi sous forme active, le pyridoxal et la pyridoxamine. Elle est présente dans les suppléments sous forme de chlorure de pyridoxine et de phosphate de pyridoxine. C'est la vitamine anti-dépression. Elle a été isolée du foie par le professeur Paul Gyorgy de l'Université de Pennsylvanie, USA, en 1934.

Principales sources
(en mg par 100 g)

Levure de bière séchée	4,20
Son	1,38
Extraits de levure	1,30
Germe de blé	0,92
Flocons d'avoine	0,75
Foie de porc	0,68
Farine de soja	0,57
Bananes	0,51
Grains de blé	0,50
Noix	0,50
Viande	0,25 à 0,45
Poissons gras	0,45
Riz brun	0,42
Poissons blancs	0,33
Pommes de terre	0,25
Légumes verts	0,16
Légumineuses	0,16
Légumes racines	0,15
Pain de blé entier	0,14
Œufs	0,11
Fruits séchés	0,10

Symptômes d'une déficience

Desquamation de la peau du visage
Fissures aux lèvres
Inflammation de la langue
Névrite périphérique
Migraines
Syndrome prémenstruel

Fonctions

Agit comme coenzyme dans le métabolisme des acides aminés
Formation des cellules du cerveau
Formation des terminaisons nerveuses
Formation du sang
Production d'énergie
Antidépresseur
Combat les allergies

Apport quotidien recommandé

0,3 à 0,6 mg (nourrissons)
0,9 à 1,8 mg (1 à 4 ans)

Destruction par

La cuisson du lait

Résultats d'une déficience

Convulsions chez les bébés
Dépression chez les adultes
Anémie chez les adultes
Affections cutanées chez les adultes
Athérosclérose
Syndrome prémenstruel
Asthme
Calculs rénaux

Réponse à de fortes doses

Asthme
Urticaire
Retard mental
Syndrome prémenstruel
Convulsions
Anémie

Causes de déficience

Contraceptifs oraux
Certains médicaments (par exemple, l'isoniazide, l'hydralazine, la pénicillamine)
Alcool
Tabac

2,0 à 2,2 mg (hommes)
2,0 mg (femmes)
2,6 mg (grossesse)
2,7 mg (lactation)

Utilisations thérapeutiques (pas plus de 200 mg par jour)	Symptômes de toxicité
Syndrome prémenstruel	Très rares
Dépressions induites par contraceptifs oraux	Avertissement
Vomissements matinaux de la grossesse (ne pas dépasser 25 mg par jour)	La vitamine B_6 est incompatible avec la Lévodopa, un médicament antiparkinsonien
Mal des transports	Malaises de la radiothérapie
Antidote contre l'hydrazine	
Convulsions infantiles	
Lésions cutanées du visage	
Anémie	
Asthme bronchique	
Allergies cutanées	

B_{12} (Vitamine)

Elle contient du cobalt, de là le nom de cobalamine. Vitamine hydrosoluble, membre du complexe vitaminique B. On la désigne aussi sous les termes de facteur anti-anémie pernicieuse, cyanocobalamine, hydroxycobalamine, facteur LLD, aquacobalamine, facteur extrinsèque, facteur de protéines animales. Elle est présente dans les suppléments sous forme de cyanocobalamine, d'acétate d'hydroxycobalamine, de chlorhydrate d'hydroxycobalamine. C'est une substance cristalline rouge foncé. Dernière vraie vitamine découverte, elle fut isolée à partir du foie en 1948 par le Dr E. Lester Smith, du Royaume-Uni, et à peu près simultanément par le Dr K. Folkers, aux États-Unis. On l'obtient maintenant commercialement par fermentation. Seule la forme naturelle est disponible à cause de la complexité des structures.

Principales sources (en µg par 100 g)		Absorption à partir de la nourriture
Foie de porc	25	Requiert la présence du facteur
Rognons de porc	14	intrinsèque produit normalement par
Poissons gras	5	l'estomac. Le complexe facteur
Porc	3	intrinsèque - vitamine B_{12} est absorbé
Bœuf	2	uniquement dans l'iléon avec l'aide
Agneau	2	du calcium. Ce mécanisme permet
Poissons blancs	2	l'absorption de 5 µg au maximum.
Oeufs	2	Seulement 1% de la dose prise
Poulet	0,5	oralement est absorbée par simple

Fromage	0,5 à 1,5
Yogourt	0,1
Lait de vache	0,3
Spirulina	200,0

Fonctions

Agit comme coenzymes: 5 désoxyadénosyl cobalamine, méthylcobalamine
Nécessaire à la synthèse de l'ADN, base de la production cellulaire de l'organisme
Maintien de la gaine de myéline, couche isolante des nerfs
Détoxication du cyanide contenu dans les aliments fumés et dans la fumée de tabac

Causes de déficience

Mauvaise absorption
Sprue
Alcool
Tabac
Végétarisme et végétalisme
Âge
Grossesse

Résultats d'une déficience

Anémie pernicieuse

Symptômes d'une déficience

Langue sensible
Dégénérescence nerveuse causant tremblements, psychoses et détérioration mentale
Désordres menstruels
Pigmentation excessive des mains (chez les gens de couleur seulement)

Utilisations thérapeutiques

Anémie pernicieuse (injections intramusculaires)
Morosité
Mémoire déficiente
Paranoïa
Confusion mentale
Névrite chez les personnes âgées
Fatigue
Manque d'appétit

diffusion.

Apport quotidien recommandé en µg

	OMS	É.-U.
(bébés)	0,3	0,5 à 1,5
(enfants 1 à 3 ans)	0,9	2,0
(enfants 4 à 9 ans)	1,5	(4 à 6 ans) 2,5
(autres)	2,0	3,0
(grossesse)	3,0	4,0
(lactation)	2,5	4,0

Symptômes de toxicité

Non relevés
Réactions allergiques occasionnelles à la forme injectable

Bacon

Toutes les variétés de bacon, une fois celui-ci cuit, contiennent seulement des traces insignifiantes des vitamines A et D et de carotène. La teneur en vitamine E varie de 0,06 à 0,21 mg par 100 g selon la méthode de cuisson utilisée et la coupe de viande ou la tranche de lard choisie. Très peu de vitamine B_{12}, d'acide folique et de biotine sont présents, mais on trouve les autres vitamines B en quantités appréciables. Voici les concentrations (en mg par 100 g): thiamine (0,34 - 1,00), riboflavine (0,15 - 0,24), acide nicotinique (6,4 - 11,8), pyridoxine (0,24 - 0,33), acide pantothénique (0,3 - 0,6). On attribue les concentrations les plus faibles de vitamines aux tranches de lard et aux morceaux les plus gras et en grande partie à la méthode de prétrempage qui extrait les vitamines hydrosolubles.

Banane plantain

Banane des Antilles. La teneur en carotène n'est pas affectée par la cuisson dans l'eau, ni par la friture; on en trouve 60 μg par 100 g. La vitamine E est absente. Les vitamines du complexe B sont moins affectées par la friture que par la cuisson dans l'eau. Ainsi, on trouve pour le plantain cru, cuit dans l'eau et frit les concentrations suivantes: thiamine (0,05, traces, 0,11), riboflavine (0,05, 0,01, 0,02), acide nicotinique (0,9, 0,5, 0,8), pyridoxine (0,50, 0,30, 1,0), acide pantothénique (0,37, 0,26, 0,73). Les taux d'acide folique sont respectivement de 16, 18, et 37 μg par 100 g. Les concentrations sont plus élevées dans le plantain frit, tout simplement parce la friture exige un fruit bien mûr. La teneur en vitamine C est de 20, 3 et 12 mg par 100 g respectivement.

Bananes

Les données s'appliquent à la partie comestible seulement. Dans le fruit cru, le taux de carotène est de 200 μg par 100 g, celui de la vitamine E de 0,2 mg par 100 g. Les vitamines du complexe B présentes (en mg par 100 g) sont: thiamine 0,04, riboflavine 0,07, acide nicotinique 0,8, pyridoxine 0,51, acide pantothénique 0,26. Le taux d'acide folique est de 22 μg par 100 g, mais la biotine est absente. C'est une bonne source de vitamine C (10 mg par 100 g).

Barbituriques

Sédatifs et tranquillisants, ils augmentent l'excrétion et le métabolisme de la vitamine C et réduisent la conversion de la vitamine D en 25-hydroxy vitamine D.

Béribéri

Maladie causée spécifiquement par un manque de vitamine B_1, le béribéri est caractérisé par une perte de vivacité mentale, des problèmes respiratoires et des dommages cardiaques. Les premiers symptômes à se manifester sont la fatigue, une perte d'appétit, des nausées, une faiblesse musculaire, des problèmes digestifs. Les troubles mentaux incluent la dépression, l'irritabilité, des troubles de mémoire, une perte de la capacité de concentration. La rétention d'eau entraîne des problèmes cardiaques et circulatoires. Le traitement consiste à ingérer quotidiennement 25 mg de vitamine B_1.

Bêta tocophérol

Voir vitamine E.

Betteraves

Il existe peu de différence dans le contenu vitaminique entre les betteraves crues ou bouillies. Bouillies, elles sont dépourvues des vitamines A, D et E et de carotène. C'est une source médiocre de vitamines du complexe B, fournissant (en mg par 100 g): thiamine 0,02, riboflavine 0,04, acide nicotinique 0,4, pyridoxine 0,03, acide pantothénique 0,10. C'est une source raisonnable d'acide folique (50 µg par 100 g), mais on trouve la biotine à l'état de traces seulement. Le taux de vitamine C est de 5 mg par 100 g seulement.

Beurre

Le beurre salé est une bonne source de vitamines liposolubles, mais il contient des quantités négligeables de vitamines hydrosolubles. Le beurre fournit (en µg par 100 g) les concentrations suivantes de vitamines: vitamine A 750, carotène 470, vitamine D 0,76, vitamine E 2 000.

Beurre d'arachide

Le beurre d'arachide fournit des quantités appréciables de vitamine E et de vitamines du complexe B. La teneur en vitamine E s'élève à 7,6 mg par 100 g. Les vitamines du complexe B présentes dans le beurre d'arachide sont (en mg par 100 g): thiamine 0,17, riboflavine 0,10, acide nicotinique 19,9, pyridoxine 0,50, acide pantothénique 2,1. Le taux d'acide folique est de 53 µg par 100 g; on trouve seulement des traces de vitamine C. Le contenu de vitamines est semblable pour le beurre d'arachide crémeux ou le croquant.

Bière

Les bières brunes et les bières blondes, embouteillées ou en fût, fournissent de bonnes quantités de vitamines B (sauf la thiaminc) incluant la vitamine B_{12}, qui est produite par la fermentation des micro-organismes. Les vitamines liposolubles sont absentes quoiqu'on trouve du carotène à l'état de traces. Les vitamines du complexe B présentes (en mg par 100 ml) sont: thiamine (des traces seulement), riboflavine (0,02 - 0,06), acide nicotinique (0,39 - 1,20), pyridoxine (0,012 - 0,042), acide pantothénique (0,10). Les taux d'acide folique varient de 4 à 9 µg par 100 ml.

Ceux de la biotine sont constants à 1 µg par 100 ml. La vitamine B_{12} est présente à des concentrations de 0,11 à 0,37 mg par 100 ml. Aucune bière ne contient de vitamine C.

Biotine

Vitamine hydrosoluble, membre du complexe vitaminique B. Connue aussi sous le nom de vitamine H, bios II, coenzyme R. La biotine a été isolée du foie par le Dr Paul Gyorgy en 1941. La forme naturelle est la D-biotine.

Principales sources (en µg par 100 g)		Pertes
Levure de bière séchée	80	Dans l'eau de cuisson
Rognons de porc	32	Le lait en poudre dans les
Foie de porc	27	aliments pour bébés subit des
Extrait de levure	27	pertes importantes
Oeufs	25	
Flocons d'avoine	20	**Fonctions**
Son	14	Agit comme coenzyme pour la

41

Germe de blé	12
Pain de blé entier	6
Maïs	6
Poissons gras	5
Poissons blancs	3
Viande	3
Riz brun non poli	3
Lait	2
Fromage	2
Yogourt	2
Légumes	0,1 à 0,6

production d'énergie et pour le maintien en santé:
de la peau
des cheveux
des glandes sudoripares
des nerfs
de la moelle
des glandes produisant les hormones sexuelles

Symptômes d'une déficience

Chez les bébés: desquamation du cuir chevelu et de la peau du visage
diarrhée persistante
Chez les adultes: fatigue
dépression
insomnie
nausées
perte d'appétit
pâleur de la langue
douleurs musculaires
perte de réflexes
perte de cheveux

Causes de déficience

Antibiotiques
Consommation chez les nouveau-nés de lait en poudre non enrichi
Consommation excessive de blancs d'œufs crus
Stress

Utilisations thérapeutiques

Dermatites séborrhéiques
Maladie de Leiner-Moussous
Alopécie
Problèmes cutanés
Problèmes du cuir chevelu
Prévention contre la mort soudaine chez les nourrissons

Toxicité

Non relevée

Apport quotidien recommandé

Non établi
Les aliments en fournissent de 150 à 400 µg, ce qui semble suffisant

Biscuits

Faits à la maison, ils contiennent les vitamines A et E en plus des vitamines du complexe B, fournissant (en mg par 100 g): thiamine 0,14, riboflavine 0,06, acide nicotinique 2,0, pyridoxine 0,07, acide folique 0,007, vitamine A 0,23, carotène 0,14, vitamine E 0,6, vitamine D 0,23.

Les biscuits sablés contiennent les vitamines A, D et E en plus des vitamines B, fournissant (en mg par 100 g): thiamine 0,15, riboflavine 0,01, acide nicotinique

2,4, pyridoxine 0,07, acide folique 0,007, vitamine A 0,23, carotène 0,14, vitamine E 0,6, vitamine D 0,23.

Bœuf

Toutes les coupes de bœuf cuit contiennent seulement des traces de vitamines A et D et de carotène. Les taux de vitamine E varient de 0,29 à 0,55 mg par 100 g. Le bœuf est une source médiocre de thiamine, d'acide folique et de biotine. Les concentrations (en mg par 100 g) des autres vitamines B sont: thiamine (0,04 - 0,09), riboflavine (0,24 - 0,40), acide nicotinique (9,2 - 12,7), pyridoxine (0,24 - 0,33), acide pantothénique (0,5 - 0,9), vitamine B_{12} (1-2 μg par 100 g), acide folique (8-17). Il est complètement dépourvu de vitamine C.

On associe aux coupes les plus maigres les concentrations les plus élevées.

Voir aussi Viandes: pertes lors de la cuisson.

Boisson à l'orange

Les boissons à l'orange non diluées ne renferment que des traces de carotène, vitamine E, thiamine, riboflavine, acide nicotinique, pyridoxine, acide pantothénique, acide folique, biotine et vitamine C. Toutefois, les boissons enrichies de vitamine C peuvent en contenir de 20 à 60 mg par 100 g.

Boisson au chocolat

C'est une bonne source de vitamines. Les concentrations sont données pour la poudre. Le taux de vitamine E est de 0,9 mg par 100 g. Les vitamines B présentes (en mg par 100 g) sont: thiamine 0,06, riboflavine 0,04, acide nicotinique 1,1, pyridoxine 0,02. La concentration d'acide folique est de 10 μg par 100 g. La vitamine C est absente.

Brocoli (Têtes de)

Les têtes de brocoli sont une bonne source de carotène (2,5 mg par 100 g), mais le brocoli bouilli contient seulement 1,1 mg par 100 g de vitamine E. La cuisson dans l'eau entraîne des pertes vitaminiques.

On trouve donc respectivement dans le brocoli cru et cuit les taux suivants (en mg par 100 g): thiamine (0,10, 0,06), riboflavine (0,3, 0,2), acide nicotinique (1,6, 1,2), pyridoxine (0,21, 0,13), acide pantothénique (1,0, 0,7). Les taux d'acide folique et de biotine (en μg par 100 g) sont respectivement (130, 120) et (0,5, 0,3). On note une réduction draconienne de la concentration en vitamine C après l'ébullition, les taux passant de 110 mg à 34 mg par 100 g.

Bronchite

Inflammation des bronches. La vitamine A (7 500 u.i. par jour) est un bon adjuvant à l'antibiothérapie puisqu'elle incite la muqueuse des voies respiratoires à résister aux infections. La vitamine C (500 à 1 000 mg par jour) augmente la résistance aux infections virales et bactériennes.

Brûlures

On peut réduire les infections et la douleur occasionnées par une brûlure de la peau en vaporisant sur la plaie une solution stérile de vitamine C à 3%. La cicatrisation progresse plus rapidement avec des doses massives de vitamine C prises oralement (jusqu'à 10 g). On peut compléter le traitement en prenant simultanément 400 u.i. de vitamine E deux fois par jour et en appliquant une crème ou un onguent contenant 100 u.i. de vitamine E par gramme.

Bruxisme

Grincement des dents se produisant souvent pendant le sommeil et pouvant entraîner des problèmes dentaires. On peut venir à bout de ce phénomène en augmentant l'apport quotidien de pantothénate de calcium (100 mg) et de calcium (300 mg).

C

C (Vitamine)

Vitamine hydrosoluble. Connue aussi sous les noms d'acide L-ascorbique, acide anti-scorbutique, acide héxuronique, acide cévitannique, acide L-xyloascorbique, palmitate d'ascorbyle, nicotinate d'ascorbyle. Poudre cristalline blanche. La vitamine C a été isolée des fruits, du paprika et des glandes surrénales, par le Dr Albert Szent-Gyorgie en 1922 en Hongrie. Le Dr Szent-Gyorgie et les Drs W.A. Waugh et C.G. King (É.-U.) ont démontré en 1932 que la vitamine C pouvait guérir le scorbut.

Principales sources (en mg par 100 g)		Destruction par
Jus de cerise-acérola	3 390	Cuisson
Pulpe de camu	2 994	Préparation industrielle
Sirop de fruits d'églantier	295	Trempage des légumes
Cassis	200	Séchage à l'air sec
Goyaves crues	200	Oxygène
Goyaves en conserve	180	Lumière
Persil	150	Chaleur
Chou	150	Alcalins en présence de cuivre
Raifort	120	Friture lente dans un peu d'huile
Têtes de brocoli	110	
Poivron vert	110	**Fonctions**
Purée de tomates	100	Anti-oxydant
Choux de Bruxelles	90	Facilite l'absorption du fer
Ciboulette	80	Production et maintien du collagène
Citron	80	Résistance aux infections
Jus de citron	50	Contrôle du cholestérol sanguin
Chou-fleur	60	Rend l'acide folique actif
Cresson	60	Production d'hormones anti-stress
Fraises	60	Production des substances
Chou frisé de Milan	60	nécessaires au fonctionnement du

Chou rouge	55
Chou d'hiver	55
Oranges	50
Jus d'orange	50
Têtes de moutarde	50
Chou blanc	40
Moutarde blanche	40
Cresson alénois	40
Mûres	40
Groseilles vertes	40
Pamplemousses	40
Litchi	40
Laitue	15
Pomme	15
Avocat	15
Coing	15
Maïs doux	12
Banane	10
Rhubarbe	10
Oignons	10
Œufs de morue	30
Viande	7 à 23
Poisson	1,5
Lait de vache	1,5

cerveau et du système nerveux
Maintien en bon état
des os
des dents
des capillaires sanguins
des organes sexuels
Antihistaminique

Résultat d'une déficience

Scorbut

Causes de déficience

Stress
Aspirines
Contraceptifs oraux
Barbituriques
Corticostéroïdes
Tétracycline
Tabac
Alcool
Âge
Exercices physiques intenses
Opérations
Chirurgie dentaire
Maladies infectieuses
Accidents
Diabète
Ulcères gastriques ou duodénaux

Symptômes de déficience

Lassitude
Faiblesse
Irritabilité
Douleurs musculaires et articulaires
Perte de poids
Saignement des gencives
Gingivite
Déchaussement des dents
Hémorragies sous-cutanées
Hémorragies dans les gros muscles, notamment ceux des cuisses
Saignements de nez
Hémorragies dans les yeux

Apport quotidien recommandé

Royaume-Uni et OMS	**États-Unis**
20 mg (jusqu'à 8 ans)	35 mg (jusqu'à 1 an)
25 mg (9 à 14 ans)	45 mg (1 à 10 ans)
30 mg (15 à 17 ans)	50 mg (11 à 14 ans)
30 mg (adultes)	60 mg (adultes)

60 mg (grossesse et allaitement)	80 mg (grossesse)
	100 mg (allaitement)
Symptômes de toxicité	**Utilisations thérapeutiques**
Très rares pour les doses au-dessous de 3 g	Scorbut
	Anémie ferriprive
Nausées	Hémorragies sous-cutanées
Crampes abdominales	Maladies respiratoires
Diarrhée	Saignement des gencives
	Problèmes psychiatriques
	Rhume et grippe
	Cancer
	Taux élevé de cholestérol sanguin
	Réactions allergiques
	Alcoolisme
	Arthrite
	Crampes dans les jambes

Cacao

La poudre fournit du carotène, de la vitamine E et quelques vitamines B, mais elle est complètement dépourvue de vitamine C. Le taux de carotène est de 40 μg par 100 g et celui de la vitamine E de 3,2 mg par 100 g. Les vitamines du complexe B présentes (en mg par 100 g) sont: thiamine 0,16, riboflavine 0,06, acide nicotinique 7,3, pyridoxine 0,07. Le taux d'acide folique est de 38 μg par 100 g.

Cadmium

Substance minérale toxique présente en forte concentration dans l'atmosphère polluée. La vitamine C à des doses quotidiennes de 500 à 1 000 mg assure une protection contre l'empoisonnement au cadmium et favorise son élimination du corps.

Café

Toutes les sortes de café sont dépourvues de carotène et de vitamine E. Le café est une excellente source d'acide nicotinique.

Le café torréfié moulu fournit 0,20 mg de riboflavine et 10,0 mg d'acide nicotinique par 100 g. La quantité d'acide nicotinique augmente lors du processus de torréfaction qui permet la libération de la forme liée. Le café noir grillé contient de 30 à 40 mg d'acide nicotinique par 100 g. Aucune autre vitamine n'a été décelée.

L'infusion de café moulu a une concentration vitaminique faible comparativement aux chiffres mentionnés précédemment. La teneur en riboflavine et en acide nicotinique est respectivement de 0,01 mg et de 0,7 mg par 100 g.

Le café instantané (sous sa forme séchée) est une excellente source d'acide nicotinique, présent à des taux variant entre 24,9 et 41,5 mg par 100 g. Il contient 0,11 mg de riboflavine, 0,03 mg de pyridoxine et 0,4 mg d'acide pantothénique par 100 g.

Le café décaféiné (sous sa forme séchée) fournit des concentrations vitaminiques similaires à celles qu'on trouve dans le café torréfié moulu. Le café instantané décaféiné contient à peu près les mêmes taux vitaminiques que le café instantané régulier.

Caillot sanguin

Ou thrombose. Lorsque le caillot est situé au niveau du cœur, on le nomme thrombose cardiaque et lorsqu'il est situé dans le cerveau, accident vasculaire cérébral ou thrombose cérébrale.

Des suppléments quotidiens de vitamine E (400 - 800 u.i.) et de lécithine (15 g) peuvent être bénéfiques. Le traitement médical inclut des antagonistes de la vitamine K (ex.: warfarine).

Calciférol

Vitamine D2.

Calcul biliaire

Lithiase biliaire. Plus de 80% des calculs biliaires sont composés de cholestérol, de pigments biliaires et de calcium. Dix pour cent sont constitués uniquement de cholestérol. Les lithiases biliaires résultent d'un excès de cholestérol dans la bile qui se cristallise sous forme de pierres. Un apport adéquat de vitamine C (jusqu'à 1 000 mg par jour) peut réduire le cholestérol présent dans la bile.

Cancer

Les tumeurs malignes peuvent être traitées à l'aide de mégadoses de vitamines, conjointement avec le traitement conventionnel.

Vessie: nécessite suffisamment de vitamine C pour saturer les voies urinaires afin de prévenir et de traiter le cancer de la vessie. Une dose de 500 mg trois fois par jour est efficace. L'inositol (1 000 mg par jour) a aussi un effet inhibiteur.

Seins: on a obtenu une réponse clinique avec 200 u.i. de vitamine E trois fois par jour. L'absorption simultanée de vitamine C (jusqu'à 10 g par jour) peut compléter le traitement à la vitamine E. On détermine la dose de vitamine C en augmentant l'apport de 1 g par jour jusqu'à l'apparition de diarrhées et sans dépasser 10 g. On soustrait alors un gramme, obtenant ainsi la dose tolérée.

Côlon: la vitamine C est utilisée de la même façon que pour traiter le cancer du sein.

Poumon: en prévention particulièrement chez les fumeurs et comme traitement, on utilise le bêta-carotène (4,5 mg trois fois par jour).

Peau: des rapports préliminaires suggèrent d'appliquer directement sur les régions affectées 0,05% d'acide rétinoïque. Ce traitement semble donner des résultats avantageux. D'autres rétinoïdes peuvent être plus efficaces.

Autres cancers: le traitement à la vitamine C tel que décrit pour le cancer du sein peut être bénéfique. Même si on affirme que le laetrile semble bénéfique dans tous les cancers, les traitements médicaux sont essentiels.

Canneberges

Crues, elles fournissent 20 μg de carotène par 100 g et des quantités négligeables de vitamine E. Les vitamines du complexe B présentes (en mg par 100 g) sont: thiamine 0,03, riboflavine 0,06, acide nicotinique 0,4, pyridoxine 0,04. On n'y a décelé aucune trace de biotine. C'est une bonne source de vitamine C (12 mg par 100 g).

Capacités mentales

Chez les enfants normaux, les capacités mentales peuvent être augmentées avec l'absorption quotidienne de thiamine (10 mg), de vitamine C (100 mg) et de vitamine E (100 u.i.) pour assurer des apports adéquats et un potentiel maximal.

Carnitine

Élément constitutif des muscles et du foie. Sa synthèse dans l'organisme dépend de la vitamine C. Elle agit comme transporteur des acides gras dans les corps cellulaires, acides qui peuvent alors être utilisés pour produire de l'énergie.

Caroténémie

Forte concentration sanguine de carotène pouvant causer une coloration jaune de la peau. Complètement inoffensive, la caroténémie peut être éliminée par une réduction de l'apport de carotène. Le globe oculaire reste blanc, contrairement à ce qui se produit dans les cas de jaunisse.

Caroténoïdes

Pigments largement distribués chez les animaux et les plantes. Plus de 100 ont été identifiés dans la nature. Les caroténoïdes incluent les carotènes Alpha, Bêta et Gamma, lesquels engendrent la vitamine A. La cryptoxanthine et le bêta-zeacarotène sont aussi des précurseurs de la vitamine A. La conversion a lieu dans l'intestin et le foie.

Les principales sources alimentaires (en μg par 100 g) sont: les carottes (12 000), le persil (7 000), les épinards (6 000), le navet (6 000), les primeurs (4 000), les patates sucrées (4 000), le cresson (3 000), le brocoli (2 500), les melons (2 000), les endives (2 000), les citrouilles (1 500), les abricots (1 500), la laitue (1 000), les prunes (1 000), les tomates (600), le chou d'été (500), les pêches (500), les asperges (500), le foie de bœuf (1 540), le beurre (470), le fromage (210), la crème (125), le lait de vache (22).

Voici les relations entre les carotènes et la vitamine A:
1 équivalent de rétinol = 1 microgramme de rétinol,
              = 6 microgrammes de bêta-carotène,
              = 12 microgrammes des autres précurseurs en carotène,
              = 3,33 u.i. de vitamine A provenant du rétinol,
              = 10 u.i. de vitamine A provenant du bêta-carotène.
Le bêta-carotène est le précurseur le plus puissant de la vitamine A.

Ils sont détruits par des températures élevées, l'oxygène et la lumière, particulièrement en présence de traces de fer et de cuivre. Les pertes s'élèvent à 40% après ébullition dans l'eau pendant 60 minutes, à 70% après 15 minutes de friture, à 20% par la congélation, la mise en conserve et la cuisson. Le séchage contrôlé des fruits et des légumes cause 20% de perte, alors que le séchage au soleil entraîne une destruction à peu près complète.

Le rôle des carotènes semble se limiter à celui de précurseurs de la vitamine A.

Une déficience n'entraîne pas de maladie spécifique connue.

Les symptômes de déficience ne sont pas connus.

L'apport quotidien recommandé n'a pas été établi officiellement. Il est possible de combler tous les besoins quotidiens en vitamine A à partir des carotènes seulement. Une diète normale fournit 50% des besoins de vitamine A sous la forme de vitamines et 50 % sous la forme de carotènes.

Les limites légales de la teneur en carotène dans les suppléments en vente libre sont de 2 250 μg de rétinol (soit l'équivalent de 7 425 u.i. de vitamine A).

La toxicité des carotènes n'a pas été démontrée. Les symptômes d'un excès sont une coloration jaune de la peau, état réversible et sans danger.

L'utilisation thérapeutique du bêta-carotène semble avoir un effet bénéfique dans le cas du cancer des poumons chez les animaux testés. Les caroténoïdes paraissent exercer une action protectrice contre le cancer des poumons chez les fumeurs.

Carottes

Les carottes crues voient diminuer leur concentration en vitamines hydrosolubles après cuisson dans l'eau. Les carottes bouillies fournissent une quantité identique de vitamine B. La teneur en carotène est plus faible dans les petites carottes. Les concentrations présentes dans les grosses carottes crues et bouillies (en mg par 100 g) sont respectivement les suivantes: carotène (12,0, 12,0), vitamine E (0,5, 0,5), thiamine (0,06, 0,05), riboflavine (0,05, 0,04), acide nicotinique (0,7, 0,5), pyridoxine (0,15, 0,09), acide pantothénique (0,25, 0,18). Les taux d'acide folique et de biotine en (μg par 100 g) sont de 15,8 et 0,6, 0,4. La cuisson dans l'eau réduit la teneur en vitamine C de 6 à 4 mg par 100 g.

Les petites carottes perdent des vitamines hydrosolubles lorsqu'elles sont mises en conserve industriellement. Les vitamines liposolubles, quant à elles, ne sont pas affectées. Le carotène reste stable pendant des années. Les concentrations présentes dans les petites carottes en conserve et après cuisson dans l'eau (en mg par 100 g) sont respectivement les suivantes: vitamine A (7,0, 6,0), vitamine E (0,5, 0,5), thiamine (0,04, 0,05), riboflavine (0,02, 0,04), acide nicotinique (0,4, 0,5), pyridoxine (0,02, 0,09), acide pantothénique (0,10, 0,18). Les taux de biotine et d'acide folique (en μg par 100 g) sont de 0,4, 0,4 et 7,0, 8,0. La teneur en vitamine C est légèrement diminuée après la mise en conserve, passant de 4 à 3 mg par 100 g.

Cassis

C'est une des sources les plus riches de vitamine C, mais le cassis fournit aussi d'autres vitamines. Toutes les concentrations vitaminiques sont réduites par la cuisson, avec ou sans sucre. Les fruits frais et cuits contiennent respectivement 200 et 170 μg de carotène ainsi que 1,0 et 0,9 mg de vitamine E par 100 g. Les fruits frais et cuits fournissent respectivement les concentrations vitaminiques suivantes (en mg par 100g): thiamine (0,03, 0,02), riboflavine (0,06, 0,05), acide nicotinique (0,4, 0,3), pyridoxine (0,08, 0,06), acide pantothénique (0,4, 0,3). La biotine est présente à des concentrations de 2,4 et 2,0 μg par 100 g respectivement. L'acide folique est absent. La teneur en vitamine C passe de 200 mg environ (variation de 150 à 230 mg) à 150 mg par 100 g lorsque le cassis est cuit. Le cassis en conserve contient 100 mg de vitamine C par 100 g.

Cataracte

Opacité du cristallin de l'œil. Elle peut venir d'une déficience en vitamines B_2 et C et en calcium. L'absorption quotidienne de vitamine B_2 (10 mg), de vitamine C (500 mg) et de calcium (500 mg) peut prévenir cette affection.

Cathartiques

Purgatifs et laxatifs. Ils empêchent l'absorption de la vitamine K et de la riboflavine.

Cécité nocturne

Elle se caractérise par une incapacité de voir dans la noirceur. C'est la conséquence d'une déficience en vitamine A. On peut prévenir et traiter la cécité nocturne avec de la vitamine A (2 500 - 7 500 u.i. par jour).

Céleri

Le céleri, cru ou bouilli, contient du carotène à l'état de traces et seulement 0,2 mg par 100 g de vitamine E. Les concentrations des vitamines B et C sont réduites par la cuisson dans l'eau. Voici les taux (en mg par 100 g) pour le céleri cru et bouilli: thiamine (0,03, 0,02), riboflavine (0,03, 0,02), acide nicotinique (0,5, 0,3), pyridoxine (0,10, 0,06), acide pantothénique (0,40, 0,28). La biotine et l'acide folique sont présents à l'état de traces seulement. La cuisson dans l'eau réduit la quantité de vitamine C de 7,0 à 5,0 mg par 100 g.

Céleri-rave

Légume racine de la famille du céleri. Complètement dépourvu de carotène et de vitamine E. Après cuisson dans l'eau, les concentrations du complexe vitaminique B (en mg par 100 g) sont: thiamine 0,04, riboflavine 0,04, acide nicotinique 0,8, pyridoxine 0,10. Les autres vitamines B ne sont pas perceptibles. La concentration de la vitamine C est de 4 mg par 100 g.

Céphalée

Désigne tous les maux de tête indépendamment de leur nature. C'est un symptôme plutôt qu'une maladie en soi. Les céphalées peuvent être causées par des problèmes aux yeux, au nez et à la gorge, des sinus obstrués ou infectés, une blessure à la tête, la pollution de l'air ou une mauvaise aération, certains médicaments, l'alcool, la fumée de cigarette, de la fièvre, des infections, un mauvais fonctionnement du tube digestif et de la circulation sanguine, des désordres cérébraux, une anémie ferriprive, une hypoglycémie (baisse du taux de sucre dans le sang), une dose excessive de vitamine A, une déficience en nicotinamide, en pyridoxine ou en pantothénate de calcium, des allergies.

Le traitement varie selon l'étiologie, aussi il est préférable de consulter un médecin. Un apport adéquat de nicotinamide, de pyridoxine, de pantothénate de calcium et de vitamine A peut soulager certains maux de tête.

Voir Migraine.

Céphalosporines

Antibiotiques. Ils entravent l'absorption des vitamines K et B_{12} et de l'acide folique.

Cerises

La partie comestible du fruit cru fournit 120 μg de carotène par 100 g et 0,1 mg de vitamine E. La cuisson entraîne une perte minime des vitamines liposolubles. Les cerises fraîches et les cerises cuites contiennent respectivement (en mg par 100 g): thiamine (0,05, 0,03), riboflavine (0,07, 0,06), acide nicotinique (0,4, 0,4), pyridoxine (0,05, 0,02), acide pantothénique (0,4, 0,3). L'acide folique passe de 8 à 3 μg par 100 g et la vitamine C de 5 à 3 mg après cuisson.

Cervelle

Contient seulement des traces de vitamines A et D et de carotène, mais la vitamine E varie de 1,1 à 2,3 mg par 100 g. Les vitamines du complexe B présentes (en mg par 100 g) sont: thiamine (0,08 - 0,10), riboflavine (0,19 - 0,24), acide nicotinique (4,6 - 4,9), pyridoxine (0,08 -0,12), acide pantothénique (1,4); vitamine B_{12} (8,0 μg). C'est une source médiocre d'acide folique (3 - 6 μg) et de biotine (3 μg). La concentration de vitamine C est de 17 mg par 100 g. Les taux varient légèrement selon qu'il s'agit de cervelle de veau ou de cervelle d'agneau bouillie.

Champignons

Les champignons sont totalement dépourvus de carotène et ne contiennent que des traces de vitamine E. Les champignons frits perdent une certaine quantité de leurs vitamines du complexe B. Les concentrations respectives (en mg par 100 g) des champignons crus et frits sont: thiamine (0,10, 0,07), riboflavine (0,40, 0,35), acide nicotinique (4,6, 4,4), pyridoxine (0,10, 0,06), acide pantothénique (2,0, 1,4). La teneur en acide folique diminue légèrement de 23 à 20 μg par 100 g, lors de la friture. Il en est de même pour la concentration en vitamine C, qui passe de 3,0 à 1,0 mg par 100 g lorsque les champignons sont frits.

Chapatis

C'est une source utile du complexe vitaminique B lorsque cet aliment fait partie du régime de base. Les chapatis fournissent (en mg par 100 g): thiamine 0,26, riboflavine 0,04, acide nicotinique 3,4, pyridoxine 0,21, acide folique 0,015, acide pantothénique 0,3, biotine 0,002. Les taux sont légèrement inférieurs lorsqu'on utilise des graisses dans leur préparation.

Châtaignes

La partie comestible est une bonne source de vitamines B et E. Elles fournissent 7,5 mg de vitamine E par 100 g. Les vitamines du complexe B présentes (en mg par 100 g) sont: thiamine 0,20, riboflavine 0,22, acide nicotinique 0,6, pyridoxine

0,33, acide pantothénique 0,47. Le taux d'acide folique est de 1,3 μg par 100 g; aucune trace de biotine n'a été décelée. La vitamine C est présente à l'état de traces seulement.

Les châtaignes rôties voient leur teneur en thiamine et en acide pantothénique réduite à 0,04 mg et 0,08 mg par 100 g respectivement.

Cheveux gris

L'apparition des cheveux gris résulte d'une perte du pigment naturel. Chez les animaux, l'apparition de poils gris est un symptôme de déficience en acide pantothénique ou en biotine, ou les deux. Il n'existe aucune évidence nous permettant d'affirmer que ces vitamines pourraient prévenir le grisonnement chez l'humain, mais quelques études rapportent une restitution de la couleur naturelle. Une déficience en PABA (acide para-aminobenzoïque) chez les animaux entraîne l'apparition prématurée de poils gris. La couleur est restaurée après l'absorption orale de PABA, mais il n'y a aucune évidence que des résultats identiques puissent être obtenus chez l'humain.

Chicorée

La chicorée crue contient seulement du carotène à l'état de traces et aucune vitamine E perceptible. Les vitamines du complexe B présentes (en mg par 100 g) sont: thiamine 0,05, riboflavine 0,05, acide nicotinique 0,6, pyridoxine 0,05. C'est une source raisonnable d'acide folique (52 μg par 100 g). La teneur en vitamine C est de 4 mg par 100 g.

Chirurgie

Une chirurgie des intestins peut causer un arrêt du péristaltisme, appelé iléus paralytique, qui se caractérise par des douleurs et une distension abdominale. La prévention et le traitement de l'iléus paralytique consistent à injecter des doses de 50 à 100 mg de pantothénate de calcium par jour. L'absorption de suppléments vitaminiques, plus particulièrement de vitamine C (1 000 mg par jour) et de zinc (20 mg par jour), avant et après la chirurgie peut aider à accélérer le processus de cicatrisation. Les hémorragies postchirurgicales sont contrôlées par la vitamine K donnée sous surveillance médicale.

Les troubles postopératoires tels que les nausées et le gonflement peuvent être réduits par l'absorption quotidienne de 250 mg de pantothénate de calcium. Un supplément de vitamine C (1 000 mg par jour) avant et après l'opération accélère le processus de guérison.

Chloramphénicol

Antibiotique. Il empêche la formation de la vitamine K par les bactéries intestinales.

Chocolat

Sous ses différentes formes, le chocolat fournit du carotène et des vitamines E et B. Il faut préciser que ces vitamines peuvent provenir d'ingrédients autres que le cacao, le lait par exemple. Le carotène contenu dans le chocolat au lait, fondant ou fourré est invariablement de 40 μg par 100 mg. La vitamine D est présente à l'état de traces dans le chocolat au lait et le fourré, mais elle est absente dans le chocolat fondant. Les taux de vitamine E dans le chocolat au lait et le chocolat fondant sont de 2,9 et 4,0 mg par 100 g respectivement. Les vitamines du complexe B présentes (en mg par 100 g) dans les trois sortes de chocolat (au lait, fondant et fourré) sont respectivement les suivantes: thiamine (0,10, 0,07, 0,10), riboflavine (0,23, 0,08, 0,10), acide nicotinique (1,6, 1,2, 1,0), pyridoxine (0,02, 0,02, 0,02), acide pantothénique (0,6, 0,6, 0,6). Les taux d'acide folique et de biotine pour les trois sortes de chocolat sont de 10 μg et 3 μg par 100 g. La vitamine C est absente.

Cholestérol

Substance grasse qui exerce trois rôles essentiels dans l'organisme:
1. élément constitutif des membranes cellulaires, particulièrement dans la gaine de myéline entourant les cellules nerveuses.
2. précurseur des acides biliaires.
3. précurseur des stéroïdes qui jouent un rôle dans le métabolisme, dans le contrôle du bilan hydrique, dans le stress et dans la production des hormones sexuelles. La production des hormones stéroïdiennes nécessite la présence de la vitamine C et de l'acide pantothénique.

Le cholestérol existe dans le sang et les organes sous forme de HDL-cholestérol (lipoprotéines de haute densité), LDL-cholestérol (lipoprotéines de basse densité), VLDL-cholestérol (lipoprotéines de très basse densité). Un rapport élevé de HDL/LDL et VLDL est souhaitable pour prévenir l'athérosclérose, l'artériosclérose et la coronaropathie. On peut augmenter le taux de HDL par la consommation d'acides gras polyinsaturés (PUFA) de préférence aux graisses animales, et par l'absorption de 600 u.i. de vitamine E par jour.

Les taux élevés de cholestérol sanguin peuvent être réduits par l'absorption quotidienne de 500 mg de vitamine C ou de 3 g d'acide nicotinique.

Cholestyramine

Agent antihypercholestérolémiant. Elle entrave l'absorption des vitamines A, D, E, K et B_{12}.

Choline

Vitamine hydrosoluble, membre du complexe vitaminique B. On ne la considère pas comme une vraie vitamine puisqu'elle peut être synthétisée par le foie chez l'humain. Elle est connue aussi sous les noms d'amanitine et de facteur lipotrope. Élément actif de la lécithine, elle est présente dans les suppléments sous forme de bitartrate de choline, de chlorure de choline, de phosphatidyle de choline, de lécithine. C'est une substance cristalline incolore.

Principales sources (en mg par 100 g)		Stabilité Très grande
Granules de lécithine	3 430	**Absorption**
Foie déshydraté	2 170	Meilleure sous forme de lécithine
Cœur de bœuf	1 720	que sous forme de choline
Jaune d'œuf	1 700	
Huile de lécithine	800	

Foie	650
Steak de bœuf	600
Germe de blé	505
Levure de bière séchée	300
Gruau	240
Noix	220
Légumineuses	120
Maïs	100
Agrumes	85
Pain de blé entier	80
Légumes verts	80
Farine de soja	70
Poulet	60
Crustacés	50
Bananes	44
Légumes racines	40
Lait humain	35
Lait de vache	11

Fonctions

Précurseur de la bétaïne
Transmission des influx nerveux
Facteur lipotrope empêchant les graisses de s'accumuler dans le foie et les autres organes
Production des phospholipides pour la composition des membranes cellulaires

Résultats d'une déficience

Infiltration graisseuse du foie
Dégénérescence nerveuse
Démence sénile
Taux élevé de cholestérol sanguin
Manque de résistance aux infections
Athérosclérose
Thrombose
Hypertension
Accident vasculaire cérébral

Causes de déficience

Alcool
Diabète

Symptômes de toxicité

Aucun n'a été relevé, sauf peut-être d'occasionnelles nausées

Apport quotidien recommandé

Non fixé
Un régime alimentaire équilibré en fournit de 300 à 1 000 mg par jour

Utilisations thérapeutiques

Athérosclérose
Angine
Thrombose
Accident vasculaire cérébral
Hypertension
Maladie d'Alzheimer
Démence sénile

Chou blanc

Le chou blanc cru est pratiquement dépourvu de carotène et contient un peu de vitamine E (0,2 mg par 100 g). Les vitamines du complexe B présentes (en mg par 100 g) sont: thiamine 0,06, riboflavine 0,05, acide nicotinique 0,6, pyridoxine 0,16, acide pantothénique 0,21. Il contient un peu d'acide folique (26 μg par 100 g), mais la concentration de biotine est négligeable. La teneur en vitamine C est de 40 mg par 100 g.

Choux de bruxelles

Ils sont une bonne source de carotène (0,4 mg par 100 g). La concentration de vitamine E est de 0,9 mg par 100 g. On constate une perte des vitamines B lorsque les choux de Bruxelles sont bouillis. Les concentrations (en mg par 100 g) des vitamines présentes dans les choux crus et bouillis sont respectivement les suivantes: thiamine (0,10, 0,06), riboflavine (0,15, 0,10), acide nicotinique (1,5, 0,9), pyridoxine (0,28, 1,17), acide pantothénique (0,4, 0,28). Les taux d'acide folique et de biotine (en μg par 100 g) sont respectivement: (110, 87) et (0,4, 0,3). La concentration de vitamine C passe de 90 mg à 40 mg par 100 g après cuisson dans l'eau.

Chou de primeur

Le chou de primeur bouilli est une bonne source de carotène, en fournissant 0,5 mg par 100 g. Il contient un peu de vitamine E, soit 0,2 mg par 100 g. Les vitamines du complexe B présentes (en mg par 100 g) sont: thiamine 0,03, riboflavine 0,03, acide nicotinique 0,4, pyridoxine 0,10, acide pantothénique 0,15. Le taux d'acide folique est de 50 μg par 100 g, celui de la biotine est négligeable. Il fournit 25 mg de vitamine C par 100 g.

Chou d'hiver

C'est une bonne source de carotène: il en fournit 0,3 mg par 100 g. Les feuilles extérieures en contiennent 7,0 mg par 100 g, tandis qu'on trouve seulement 0,2 mg dans les feuilles intérieures. Les taux de carotène et de vitamine E ne sont pas affectés par l'ébullition. Il n'en est pas ainsi pour les vitamines du complexe B, qui voient leur concentration diminuer après cuisson dans l'eau. On obtient les taux suivants pour le chou cru et après ébullition (en mg par 100 g): thiamine (0,06, 0,03), riboflavine (0,05, 0,03), acide nicotinique (0,8, 0,5), pyridoxine (0,16, 0,10), acide pantothénique (0,21, 0,15). Le taux d'acide folique passe de 90 μg à 35 μg par 100 g après cuisson dans l'eau. La concentration de biotine est négligeable. La teneur en vitamine C subit une baisse de 55 mg à 20 mg par 100 g après ébullition.

Chou-fleur

On constate une légère perte des vitamines hydrosolubles après cuisson dans l'eau, mais les concentrations de carotène et de vitamine E restent inchangées. La teneur en carotène (en mg par 100 g) pour le chou-fleur cru et bouilli est de 0,03; la vitamine E passe de 0,4 à 0,2 mg après ébullition. Les vitamines du complexe B présentes (en mg par 100 g) dans le chou-fleur cru et bouilli sont respectivement les suivantes: riboflavine (0,10, 0,06), acide nicotinique (1,1, 0,8), pyridoxine (0,20, 0,12). La teneur en acide folique et en biotine est modérée, soit 39, 49 et 1,5, 1,0 μg par 100 g. La cuisson dans l'eau entraîne une perte substantielle de vitamine C, les taux passant de 60 à 20 mg par 100 g.

Chou frisé de Milan

La concentration moyenne de carotène se situe autour de 0,3 mg par 100 g. On trouve le carotène principalement dans les feuilles vertes extérieures. Il en est de même pour la vitamine E. En effet, les feuilles vertes extérieures contiennent 7,0 mg par 100 g de vitamine E, tandis que les feuilles intérieures plus pâles en fournissent uniquement 0,2 mg. La cuisson dans l'eau réduit la concentration de vitamines du complexe B. Ainsi, on obtient respectivement les concentrations suivantes (en mg par 100 g) dans le chou cru et cuit dans l'eau: thiamine (0,06, 0,03), riboflavine (0,05, 0,03), acide nicotinique (0,8, 0,4), pyridoxine (0,16, 0,10), acide pantothénique (0,21, 0,15). Les taux d'acide folique sont de 90 et 35 µg par 100 g respectivement. La biotine est présente à l'état de traces seulement. La cuisson dans l'eau entraîne des pertes considérables de vitamine C, sa concentration passe de 60 à 15 mg par 100 g.

Chou rouge

Le chou rouge cru est une source médiocre de carotène et de vitamine E, en fournissant respectivement 20 µg par 100 g et 0,2 mg par 100 g. Les vitamines du complexe B présentes (en mg par 100 g) sont: thiamine 0,06, riboflavine 0,05, acide nicotinique 0,6, pyridoxine 0,21, acide pantothénique 0,32. Les taux d'acide folique sont appréciables (90 µg par 100 g). La biotine est présente à l'état de traces seulement. C'est une bonne source de vitamine C; il en fournit 55 mg par 100 g.

Cicatrisation

Le processus de cicatrisation est accéléré par un supplément de vitamine C, de vitamine E, de vitamine A et de zinc.

Cidre

Contient une concentration plus faible de vitamines du complexe B que les bières et la lager. Les vitamines B présentes sont (en mg par 100 ml): thiamine et riboflavine à l'état de traces, acide nicotinique 0,01, pyridoxine 0,005, acide pantothénique 0,03. Le taux de biotine est de 1 µg par 100 ml.

L'acide folique n'a pas été mesuré. Tous les cidres sont dépourvus de vitamine C.

Cirrhose

Maladie chronique et progressive du foie caractérisée par une destruction des cellules hépatiques et une croissance exagérée du tissu conjonctif. L'utilisation thérapeutique des vitamines comme complément au traitement inclut de fortes doses des vitamines du complexe B et les vitamines liposolubles A, D, E et K pour compenser la perte excessive qu'entraîne la maladie. La choline (jusqu'à 3 000 mg par jour) peut être nécessaire pour prévenir l'infiltration graisseuse des cellules.

Citrons

C'est une bonne source de vitamine C et de quelques-unes des vitamines du complexe B. La partie comestible du citron fournit des taux vitaminiques plus élevés que le jus fraîchement pressé. Le carotène et la vitamine E sont présents à l'état de traces seulement. La partie comestible du fruit et le jus fraîchement pressé fournissent respectivement les vitamines B suivantes (en mg par 100 g): thiamine (0,05, 0,02), riboflavine (0,04, 0,01), acide nicotinique (0,3, 0,1), pyridoxine (0,11, 0,15), acide pantothénique (0,23, 0,10). Il est impossible de mesurer le taux d'acide folique dans le fruit entier, mais le jus frais en contient 7 μg par 100 g. Les concentrations de biotine sont de 0,5 et 0,3 μg par 100 g respectivement pour le fruit et le jus.

Les citrons contiennent 80 mg de vitamine C par 100 g, tandis que dans le jus fraîchement pressé on en trouve environ 50 mg par 100 g (variant entre 40 à 60 mg).

Citrouille

C'est une excellente source de carotène; elle en fournit 1,5 mg par 100 g (avec des variations de 0,7 à 2,0). La vitamine E est virtuellement absente. C'est une source médiocre de vitamines du complexe B. On y trouve les concentrations suivantes (en mg par 100 g): thiamine 0,04, riboflavine 0,04, acide nicotinique 0,5, pyridoxine 0,06, acide pantothénique 0,40. Les taux d'acide folique et de biotine sont respectivement de 13 et 0,4 μg par 100 g. La concentration de vitamine C est de 5 mg par 100 g.

Claudication

Intermittente. Douleurs dans les membres inférieurs survenant après quelques instants de marche et résultant d'un rétrécissement des vaisseaux sanguins des jambes. Traitée avec de la vitamine E, 400 à 600 u.i. par jour.

Cobalamine

Voir vitamine B_{12}.

Cœur (Maladie du)

Les termes coronaropathie ou cardiopathie ischémique sont des synonymes pour désigner les troubles causés par une défaillance des artères coronaires qui n'arrivent pas à fournir suffisamment de sang au muscle cardiaque. Ces maladies sont associées dans la plupart des cas à de l'athérosclérose des artères coronaires. L'infarctus du myocarde, l'angine de poitrine et la mort subite sans infarctus en sont des exemples.

Dans l'infarctus du myocarde, une partie du muscle cardiaque cesse de fonctionner à cause d'un arrêt ou d'une insuffisance de la circulation sanguine dans cette région. L'ischémie est généralement provoquée par l'oblitération d'une branche de l'artère coronaire par un caillot ou par des dépôts graisseux dans la paroi du vaisseau. *Voir* Athérosclérose et Caillot sanguin.

L'angine de poitrine. *Voir* Angine.

La mort subite peut se produire chez les personnes ayant déjà eu un infarctus du myocarde ou souffrant d'angine.

Les maladies du cœur peuvent être prévenues et traitées par une bonne diète et des suppléments vitaminiques. Des doses quotidiennes du complexe vitaminique B avec un supplément de vitamine E (400 - 1 200 u.i.), de vitamine C (500 - 1 000 mg), de vitamine B_6 (100 mg) et de lécithine (15 - 45 g) ainsi que le remplacement dans la diète des graisses saturées d'origine animale par des acides gras polyinsaturés (vitamine F) et une consommation régulière d'huile de poisson contenant de l'EPA et du DHA peuvent aider à réduire les risques de maladie du cœur et diminuer les complications possibles chez les gens souffrant déjà de troubles cardiaques.

Cœur (viande)

Contient des traces de vitamines A et D et de carotène. Il est une source médiocre de vitamine E (0,37 - 0,70 mg par 100 g). Par contre, c'est une bonne source du complexe vitaminique B, fournissant (en mg par 100 g): thiamine (0,21 - 0,48), riboflavine (0,8 - 1,5), acide nicotinique (10,6 - 14,7), pyridoxine (0,11 - 0,38), acide pantothénique (1,6 - 3,8). La teneur en vitamine B_{12} est intéressante (13 - 15 μg par 100 mg). Les concentrations d'acide folique et de biotine sont faibles (4 μg et 3 μg respectivement). Les taux de vitamine C varient de 5 à 11 mg par 100 g.

Coing

Le fruit cru contient une bonne quantité de vitamine C mais très peu de vitamines du complexe B. Le carotène est présent à l'état de traces seulement et la vitamine E n'a pu être décelée.

Les vitamines du complexe B présentes (en mg par 100 g) sont: thiamine 0,02, riboflavine 0,02, acide nicotinique 0,2. La partie comestible du fruit contient 15 mg de vitamine C par 100 g.

Colchicine

Médicament utilisé dans le traitement de la goutte. La colchicine empêche l'absorption des vitamines A et B_{12}.

Colite

Maladie chronique inflammatoire et ulcérative du côlon. Le traitement médicamenteux devrait être accompagné de suppléments multivitaminiques à fortes doses et d'un surplus des vitamines B_6 et C lorsque le patient est traité avec des corticostéroïdes.

Collagène

Principale protéine du tissu conjonctif présente dans tout le corps (peau, articulations, organes vitaux). Matériel de base servant à la production de gélatine. La vitesse de cicatrisation d'une plaie dépend du taux de production de collagène qui, à son tour, est dépendant de la vitamine C.

On donne souvent de 500 à 1 000 g de vitamine C par jour aux patients devant subir une chirurgie et à ceux qui se remettent d'un accident afin d'accélérer le processus de guérison.

Côlon (Cancer)

Voir Cancer.

Complexe vitaminique B

Mélange de vitamines B qui tendent à se retrouver naturellement ensemble dans les aliments d'origine animale, végétale et micro-organique. Le complexe vitaminique B comprend huit éléments: la thiamine (B_1), la riboflavine (B_2), l'acide nicotinique (B_3), l'acide pantothénique (B_5), la pyridoxine (B_6), la biotine, l'acide folique et la B_{12}. Ce sont toutes de vraies vitamines. Certains auteurs incluent la choline et l'inositol bien qu'ils soient synthétisés par l'organisme.

Le PABA, l'acide pangamique, l'acide orotique et le laetrile font partie du complexe vitaminique B dans les aliments, mais ils sont considérés comme des facteurs et non des vitamines.

Concombre

Il contient du carotène et de la vitamine E à l'état de traces seulement. Les vitamines du complexe B présentes (en mg par 100 g) sont: thiamine 0,04, riboflavine 0,04, acide nicotinique 0,3, pyridoxine 0,04, acide pantothénique 0,30. La concentration d'acide folique est de 16 µg par 100 g. La biotine est présente à l'état de traces seulement. La teneur en vitamine C est de 8 mg par 100 g.

Confiserie

Les produits à base de sucre bouilli, la gomme, les produits de la réglisse, les pastilles, bonbons à la menthe et caramels sont généralement dépourvus de vitamines. On trouve un peu d'acide nicotinique dans la réglisse (0,7 mg par 100 g) et dans le caramel au lait (0,4 mg par 100 g), mais cette vitamine provient respectivement de la racine de la réglisse et du lait. *Voir* aussi Chocolat.

Confiture

Les confitures de fruits entiers sont une bonne source de vitamine C; elles en fournissent 10 mg par 100 g. La confiture de cassis contient 24 mg de vitamine C par 100 g. Le carotène, la vitamine E, la thiamine, la riboflavine, l'acide nicotinique, la pyridoxine, l'acide folique, l'acide pantothénique et la biotine sont présents à l'état de traces seulement.

Constipation

Les cas réfractaires peuvent répondre à l'absorption quotidienne de 10 mg de vitamine B_1. Le complexe vitaminique B est parfois utilisé pour stimuler la croissance des bactéries intestinales, soulageant de ce fait la constipation, particulièrement après un traitement aux antibiotiques.

Contraceptifs

Stérilet ou dispositif intra-utérin (IUD). Le saignement excessif peut être contrôlé par les flavonoïdes (1 000 mg par jour) ou par la vitamine E (100 u.i. aux 2 jours).

Contraceptifs oraux

Ils sont composés d'œstrogènes et de progestérone synthétiques qui peuvent augmenter les besoins de certaines vitamines. Un supplément des vitamines B_6 (25 - 50 mg), B_{12} (5 µg), acide folique (200 µg), vitamine E (100 u.i.) et vitamine C (100 mg) est requis quotidiennement.

Convalescence

Période de transition entre la fin d'une maladie et le retour à la santé, caractérisée par une légère déficience vitaminique causée par une diminution de l'apport alimentaire et le traitement médicamenteux. Un supplément multivitaminique et un extrait de vitamine C (500 - 1 000 mg) chaque jour pourront être utiles dans les cas d'infections et pendant la période postopératoire.

Corticostéroïdes

Hormones produites par les glandes surrénales à partir du cholestérol. Ces hormones ainsi que leurs analogues synthétiques, les stéroïdes, sont fréquemment utilisés en médecine, à des concentrations relativement élevées. Ils exercent un effet néfaste sur certaines vitamines. On doit donc augmenter les besoins des vitamines B_6, C et probablement D. Les concentrations requises quotidiennement sont: vitamine B_6 (25 - 50 mg), vitamine C (500 - 1 000 mg) et vitamine D (400 u.i.).

Cortisol

Ou hydrocortisone, un corticostéroïde naturel. *Voir* Corticostéroïdes.

Cortisone

Un corticostéroïde naturel. *Voir* Corticostéroïdes.

Coryza

Rhume de cerveau. *Voir* Rhume.

Co-trimoxazole (Sulfaméthoxazole/triméghoprime)

Antibiotique. Il entrave l'utilisation de l'acide folique.

Coup de soleil

L'application topique d'une crème à base de vitamine E et l'absorption orale de 200 u.i. de vitamine E trois fois par jour peuvent aider la guérison et prévenir la formation de cicatrices. La vitamine C (1 à 1,5 mg par jour) favorise la cicatrisation et réduit les risques d'infection. De plus, une dose de 15 mg de zinc apporte un certain soulagement.

Crampes

Dans les jambes. Lorsqu'elles sont causées par l'exercice, les crampes portent le nom de claudication intermittente. Les crampes se produisant la nuit sont traitées avec de la vitamine E (200 u.i. dans la journée et 200 u.i. au coucher) et 500 mg de vitamine C prise quotidiennement. Les crampes causées par des impatiences musculaires sont traitées avec 400 u.i. de vitamine E par jour.

Crème

Elle présente des variations saisonnières de vitamines liposolubles. Les vitamines hydrosolubles, quant à elles, sont constantes (en mg par 100 g): thiamine 0,03, riboflavine 0,12, acide nicotinique 0,64, pyridoxine 0,03, acide folique 0,004, acide pantothénique 0,30, biotine 0,0014, vitamine C 1,2; la teneur en vitamine B_{12} est de 0,2 μg par 100 g.

La crème à 15% produite en été contient (par 100 g): vitamine A 0,2 mg, carotène 0,125 mg, vitamine E 0,5 mg, vitamine D 0,165 µg.

Celle produite en hiver contient (par 100 g): vitamine A 0,145 mg, carotène 0,07 mg, vitamine E 0,4 mg, vitamine D 0,081 µg.

La crème à fouetter (35%) fournit approximativement deux fois plus de vitamines liposolubles que la crème à 15%.

Cresson

Le cresson cru est une bonne source de carotène; il en fournit en moyenne 3,0 mg par 100 g (variations de 1,5 à 3,5 mg). On y trouve un peu de vitamine E (1,0 mg par 100 g). Les vitamines du complexe B présentes sont: thiamine 0,10, riboflavine 0,10, acide nicotinique 1,1, pyridoxine 0,13, acide pantothénique 0,10. C'est une excellente source d'acide folique (200 µg par 100 g). Le taux de biotine est de 0,4 µg par 100 g. C'est aussi une excellente source de vitamine C; il en fournit en moyenne 60 mg par 100 g (variations de 40 à 80 mg).

Crohn (Maladie de)

Inflammation généralisée du petit intestin et du tractus intestinal inférieur connue aussi sous le nom d'entérite régionale. La thérapie médicamenteuse peut être complétée par des suppléments vitaminiques à fortes doses. Un extrait des vitamines B_6 et C est recommandé avec un traitement aux corticostéroïdes.

Croissance

La croissance dépend d'un apport adéquat de protéines, de graisses, d'hydrates de carbone et de calories. L'élaboration des tissus à partir de ces éléments nécessite une quantité suffisante de thiamine, de riboflavine, d'acide pantothénique, de biotine, de vitamine B_{12} et de vitamine A au cours de la période de croissance pré et post-natale.

Cryptococcus (levure)

Torulopsis utilis. C'est une souche de levure moins amère que la levure de boulangerie ou la levure de bière. On trouve les vitamines suivantes (en mg par 100 g) dans la levure séchée: carotène (traces), thiamine (15,0), riboflavine (5,0), pyridoxine (3,5), acide nicotinique (50,0), acide pantothénique (10,0), biotine (0,1), acide folique (3,0). C'est une excellente source d'ADN et d'ARN, les deux constituant 12% de la levure séchée.

Cyanocobalamine

Voir vitamine B_{12}.

D

D (Vitamine)

Vitamine liposoluble. Elle existe à l'état naturel sous forme de cholécalciférol (D2), qu'on trouve uniquement dans les aliments provenant de sources animales, et sous forme d'ergocalciférol (D2) produit par l'action de la lumière sur la levure. La vitamine D a été isolée de l'huile de foie de morue en 1930 par le Dr E. Mallaby. Un microgramme est équivalent à 40 u.i.

Principales sources (en μg par 100 g)		Sources non alimentaires
Huile de foie de morue	210,00	Des quantités importantes sont
Hareng fumé	25,00	produites par l'effet du soleil sur la
Maquereau	17,50	peau:
Saumon en conserve	12,50	en été, 10 μg en 3 h
Sardines	7,50	en hiver, 1 μg en 3 h,
Thon	5,80	si le visage seul est exposé
Œufs	1,75	
Lait de vache	0,03	

Fonctions

Agit seulement après avoir été transformée en 1-25 dihydroxy vitamine D par le foie puis les reins: absorption du calcium par l'intestin grêle, absorption du phosphate par l'intestin grêle, libération du calcium provenant des os.

Résultats d'une déficience

Rachitisme chez les enfants
Ostéomalacie chez les adultes

Stabilité

Très bonne

Symptômes de déficience

Enfants: posture anormale des
membres
transpiration excessive de la
tête

retard dans l'acquisition de
certaines aptitudes, comme
marcher,
s'asseoir, se lever
genoux cagneux, jambes
arquées
Adultes: douleurs osseuses
faiblesse musculaire et
spasmes musculaires
os fragiles

Causes de déficience

Manque de viande, de volaille, de
poisson et de produits laitiers
Manque d'exposition au soleil

Apport quotidien recommandé

Au R.-U.: 10 μg (jusqu'à 7 ans)
2,5 μg (par la suite)
10 μg (grossesse et
allaitement)
É.-U. et Europe: 10 μg

Symptômes de toxicité

Vitamine la plus toxique
Perte d'appétit
Nausées
Vomissements
Soif constante
Maux de tête
L'enfant devient maigre, irritable et
déprimé

Utilisations thérapeutiques

Rachitisme
Ostéomalacie
Ostéoporose
Arthrite rhumatoïde

Dattes

La partie comestible des dattes séchées fournit des vitamines du complexe B et du carotène. Le taux de carotène est de 50 μg par 100 g. La vitamine E n'a pu être décelée. Les vitamines du complexe B présentes (en mg par 100 g) sont: thiamine 0,07, riboflavine 0,04, acide nicotinique 2,9, pyridoxine 0,15, acide pantothénique 0,80. Le taux d'acide folique est de 21 μg par 100 g. La biotine et la vitamine C sont absentes.

Déficience vitaminique

On a défini quatre stades d'une déficience chez des volontaires privés de vitamines B_1:

1. pas de changement apparent pendant les 5 à 10 premiers jours, mais les réserves vitaminiques s'épuisent;

2. une altération du métabolisme cellulaire après 10 à 60 jours;

3. après 30 à 180 jours, des anomalies cliniques accompagnées de symptômes non spécifiques tels que perte de poids, perte d'appétit, malaise, insomnie, irritabilité;

4. après 180 jours, des anomalies anatomiques entraînant des symptômes

spécifiques de déficience flagrante, qui peuvent causer la mort si le patient reste sans traitement.

Les déficiences vitaminiques peuvent être le résultat d'une mauvaise alimentation, de méthodes de cuisson inadéquates, de la transformation excessive des aliments, de la consommation d'aliments trop raffinés, d'habitudes telles que fumer et boire de l'alcool, du stress, des médicaments, des contraceptifs oraux, d'une mauvaise absorption, d'une utilisation inadéquate.

Déficience (Les causes d'une)

Plusieurs facteurs peuvent entraîner une légère déficience vitaminique, et la plupart des individus peuvent être affectés par un ou plusieurs de ces facteurs.

L'indifférence: caractérise souvent les personnes vivant seules, particulièrement celles qui ont perdu un conjoint et qui n'ont plus de famille à soigner. Elles ont alors très peu d'incitations à se préparer des repas équilibrés. Les repas deviennent monotones et de moins en moins nourrissants. Comme cet état s'accompagne souvent d'une mauvaise digestion, on observe alors un appauvrissement de l'état nutritionnel. Les personnes âgées, les célibataires d'âge mûr vivant dans un studio où les installations de cuisine sont médiocres, les adolescents et les étudiants vivant seuls pour la première fois, sont les plus susceptibles d'être affectés par ce problème.

Les problèmes dentaires: manger lorsqu'on a une mauvaise dentition, causée par la perte de dents ou la présence de caries, peut être fort pénible et conduit souvent à prendre en aversion les aliments tels que la salade, la viande et les légumes. Il en résulte un régime alimentaire mal équilibré et une mauvaise nutrition. Les personnes âgées sont les plus touchées.

Les pertes excessives: les vitamines hydrosolubles sont éliminées dans l'urine et la transpiration. L'effort physique peut entraîner une excrétion excessive de ces vitamines. Les climats chauds peuvent avoir un effet similaire.

Les caprices alimentaires: les aliments riches en calories mais pauvres en vitamines ont la faveur des jeunes et constituent souvent une part importante de leur régime alimentaire (les aliments riches en sucre, les boissons douces, les confiseries, les croustilles, les sucreries, les gâteaux). Les personnes âgées ne sont pas immunisées contre de tels caprices alimentaires. Le désir de consommer certains aliments spécifiques est bien connu chez plusieurs femmes pendant leur grossesse. On a avancé l'hypothèse que la femme répondrait ainsi à certains besoins nutritifs.

Les tabous alimentaires: ils sont souvent d'origine religieuse, mais tirent aussi leurs racines des croyances populaires (par exemple, la consommation de la viande prédispose aux infections parasitaires).

L'abstinence complète de nourriture, comme dans le jeûne, peut être bénéfique à l'occasion, mais un jeûne prolongé peut être dommageable. Les vitamines hydrosolubles s'épuisent et les protéines du corps se dégradent ainsi que les graisses.

Des aliments spécifiques sont parfois évités à cause de croyances superstitieuses prétendant, à tort, qu'ils pourraient être dommageables pour la santé. De telles croyances abondent en Afrique. En Bolivie, on croit que tout aliment contenant du sang animal rend les enfants muets; au Pakistan, on croit que le lait de buffle rend la personne forte physiquement mais arriérée mentalement. Les personnes les plus affectées par ces croyances sont les femmes enceintes, qui doivent pourtant avoir une alimentation saine. On leur refuse parfois, à cause de leur grossesse, des aliments qu'elles pourraient consommer en d'autres circonstances. Elles se trouvent donc doublement pénalisées.

Les besoins individuels: les besoins vitaminiques minimaux requis quotidiennement sont basés sur la consommation moyenne de la population ou sont une extension d'études effectuées sur les animaux et appliquées à l'humain. Des expériences sur les animaux ont démontré que les besoins vitaminiques peuvent quintupler d'un animal à l'autre, pour une même espèce. On peut supposer qu'il en est de même chez l'être humain, puisque deux individus suivant une diète similaire obtiendront des concentrations vitaminiques sanguines fort différentes, reflétant ainsi probablement des besoins différents.

Les infections: elles sont plus fréquentes chez les personnes souffrant de mauvaise nutrition, particulièrement chez les enfants. C'est un cercle vicieux; la mauvaise nutrition diminue la résistance aux infections, et les infections peuvent aggraver la mauvaise nutrition, en réduisant l'appétit, par exemple. Les infections les plus susceptibles de se produire chez les enfants souffrant de carences alimentaires sont d'origine bactérienne (la tuberculose), virale (la rougeole, qui peut être une maladie mortelle dans les cas de malnutrition) et parasitaire. La prédisposition aux infections est plus élevée lorsqu'il y a déficience de vitamines A et C.

La kératomalacie, stade final d'une déficience en vitamine A conduisant à la cécité, est souvent aggravée par une infection concourante chez l'enfant. Une déficience vitaminique peut diminuer la résistance aux infections en réduisant la formation d'anticorps, en réduisant l'activité des phagocytes (globules blancs du sang possédant la propriété d'englober et de détruire, en les digérant, les bactéries et les virus), en réduisant la concentration des enzymes protecteurs (par exemple, les lysozymes dans les larmes) et en réduisant l'intégrité de la peau, des muqueuses et des surfaces humides du corps.

Les infections peuvent précipiter une déficience élémentaire en vitamines chez les individus souffrant de malnutrition et peuvent même causer des déficiences légères chez ceux qui ont une diète adéquate. Par exemple les enfants souffrant de méningite méningococcique, de diarrhée, de tuberculose, de rougeole et d'autres infections aiguës peuvent développer une déficience en vitamine A suffisamment grave pour entraîner la kératomalacie et éventuellement la cécité. La fièvre peut causer chez les enfants des symptômes de scorbut dus à une déficience en vitamine C, même si l'apport vitaminique semble adéquat. Des signes évidents d'une déficience en thiamine peuvent apparaître dans les cas limites, par suite d'une infection, et provoquer de la diarrhée et du béribéri.

L'allaitement: on connaît très peu les besoins vitaminiques requis spécifiquement au cours de l'allaitement. Cette ignorance est très bien reflétée par les variations de concentrations suggérées par différents gouvernements. Cependant, tous s'accordent pour dire qu'une augmentation de l'apport vitaminique est souhaitable pendant cette période.

Tableau 4. **L'apport vitaminique suggéré pendant l'allaitement**

	Aus-tralie	Canada	N.-Zélande	R.-Uni	É.-U.	OMS
Vitamine A µg	1200	1400	1200	750	1200	1200
Vitamine D µg	10	5,0	10	10	10	10
Vitamine E mg	–	8,0	13,5	–	11	–
Vitamine C mg	60	60	60	60	100	60
Thiamine mg	1,3	1,5	1,3	1,1	1,6	1,1
Riboflavine mg	1,7	1,7	2,5	1,8	1,7	1,7
Ac. nicotini-que mg	22	25	21	21	18	18,2
Pyridoxine mg	3,5	2,6	2,5	–	2,5	–
Acide folique µg	300	250	400	–	500	500
Vitamine B_{12} µg	2,5	3,5	4,0	–	4,0	4,5

Mauvaise absorption: elle affecte habituellement les vitamines liposolubles, mais l'anémie pernicieuse est causée par une incapacité d'absorber la vitamine B_{12}, vitamine hydrosoluble.

Les maladies telles que la sprue, la stéatorrhée idiopathique, les affections du pancréas, l'absence de production biliaire, etc., peuvent causer une mauvaise absorption généralisée des graisses, incluant les vitamines liposolubles, et entraîner des déficiences. L'absence du facteur intrinsèque, requis pour l'absorption de la vitamine B_{12}, empêche l'assimilation de cette vitamine.

Les problèmes de mauvaise absorption sont d'ordre médical et ne doivent pas être l'objet d'un autotraitement.

Les médicaments: une déficience en vitamines du complexe B se produit fréquemment lors d'un traitement aux antibiotiques. Il est essentiel de prendre des suppléments du complexe vitaminique B lors d'une antibiothérapie d'une durée supérieure à trois jours.

La pyridoxine est particulièrement vulnérable lors d'un traitement médicamenteux aux corticostéroïdes, à l'isoniazide, à la pénicillamine et lors de la prise de contraceptifs oraux, entre autres. *Voir* les médicaments traités individuellement.

Les autres constituants alimentaires: ils peuvent affecter les besoins de certaines vitamines. Par exemple, une forte consommation d'acides gras polyinsaturés (présents, entre autres, dans les huiles végétales) requiert des taux élevés de vitamine E. L'apport de thiamine est augmenté dans une diète riche en hydrates de carbone. Une consommation élevée de protéines requiert plus de pyridoxine et de riboflavine. Lorsque l'apport de protéines est faible, l'organisme retient moins de riboflavine.

La leucine est un acide aminé qui requiert un supplément d'acide nicotinique lorsqu'il se trouve en forte concentration. Le millet est un aliment riche en leucine et constitue une part importante de la diète en Inde. L'apport concomitant d'acide nicotinique ne se fait pas toujours, induisant ainsi une déficience.

L'avidine, une protéine présente spécifiquement dans le blanc d'œuf cru, se combine à la biotine et l'inactive. La cuisson détruit l'avidine et empêche donc l'inactivation de cette vitamine.

Quelques poissons crus contiennent un enzyme, la thiaminase, qui détruit la thiamine. Lorsque le poisson cru est un élément de base de la diète, comme en Extrême-Orient, on peut observer une déficience en thiamine. Quelques bactéries (par exemple, le bacille thiaminolyticus) peuvent détruire la thiamine. Environ 3% des Japonais sont victimes de cette bactérie et présentent des signes d'une légère déficience en thiamine.

Les autres vitamines: la consommation excessive d'une vitamine peut induire la déficience d'une autre vitamine. Cela se produit principalement dans les expériences sur les animaux. Chez l'humain, on a démontré avec certitude qu'un excès d'acide folique peut entraîner une déficience en vitamine B_{12}. On peut provoquer le rachitisme chez les agneaux, malgré un apport adéquat de vitamine D, tout simplement en les nourrissant avec de fortes concentrations de carotène.

La déficience d'une vitamine peut aussi provoquer la déficience d'une autre; ainsi la vitamine C est nécessaire pour convertir l'acide folique dans sa forme active, l'acide folinique. En l'absence de vitamine C, l'acide folique ne peut pas être activé et il en résulte de l'anémie. Un apport important d'acide folique peut masquer une déficience en vitamine B_{12}. Un manque d'acide folique engendre une anémie semblable à celle causée par une déficience en vitamine B_{12}. Toutefois, une déficience en vitamine B_{12} peut aussi causer une dégénérescence nerveuse de la moelle épinière. Aussi, lorsqu'on se trouve en présence d'une anémie provoquée par une déficience en vitamine B_{12} mais traitée avec de l'acide folique, on peut avoir l'illusion d'une guérison de l'anémie. Cependant, la dégénérescence nerveuse continue sa progression jusqu'à devenir irréversible. D'où l'importance d'un bon diagnostic qui déterminera l'élément responsable de l'anémie, soit une déficience en acide folique ou en vitamine B_{12}, puisque ces deux vitamines agissent ensemble dans la production de globules rouges normaux.

Les infections parasitaires: elles produisent spécifiquement une déficience en vitamine B_{12}. Le parasite responsable est le *Diphyllobothrium latum* (dont le premier hôte est un crustacé et le deuxième hôte, un poisson), qui utilise la vitamine B_{12} du régime alimentaire, rendant impossible son absorption.

Un régime alimentaire inadéquat: une mauvaise sélection d'aliments associée à des méthodes de cuisson inadéquates, à la transformation excessive des aliments et à la consommation d'aliments trop raffinés, entraînent des déficiences vitaminiques. *Voir* Pertes occasionnées par la préparation industrielle des aliments.

Les troubles de digestion: ils peuvent être causés par une mastication inadéquate de la nourriture, une réduction du volume et de l'acidité des sécrétions gastriques, une diminution de la quantité d'enzymes digestifs présents dans les sécrétions pancréatiques, hépatiques et intestinales, et finalement par une réduction de la sécrétion biliaire. Les vitamines sont libérées au fur et à mesure que les aliments sont digérés; aussi, lorsque la digestion se fait mal, les vitamines ne sont pas disponibles pour l'absorption.

L'activité physique: elle augmente les besoins de certaines vitamines, particulièrement celles qui jouent un rôle dans le stress (complexe vitaminique B), l'apport énergétique (thiamine) et l'activité musculaire (vitamines C et E). Si la consommation vitaminique n'est pas augmentée, il peut en résulter de légères déficiences. Les taux quotidiens recommandés, pour les hommes de 20 à 26 ans dans trois pays différents, sont donnés au tableau suivant. *Voir* aussi Athlètes.

Tableau 5. L'apport vitaminique recommandé chez les hommes de 20 à 26 ans

		Royaume-Uni	Allemagne de l'Ouest	URSS
Thiamine	– sédentaire	1,0	1,7	1,8
(mg)	– modérément actif	1,2	2,2	2,0
	– actif	1,4	2,5	2,5
	– très actif	1,7	2,9	3,0
Riboflavine	– sédentaire	1,5	1,8	2,0
(mg)	– modérément actif	1,8	1,8	2,5
	– actif	2,1	1,8	3,0
	– très actif	2,6	1,8	3,5
Acide	– sédentaire	8	14	12
nicotinique	– modérément actif	8	16	15
(mg)	– actif	8	18	20
	– très actif	8	20	25
Vitamine C	– sédentaire	30	75	60
(mg)	– modérément actif	30	75	70
	– actif	30	75	100
	– très actif	30	75	120

La grossesse: plusieurs études indiquent une diminution importante des concentrations sanguines des vitamines A, B_{12} et C, de l'acide nicotinique, de la pyridoxine et de l'acide folique chez les femmes enceintes.

Les études portent principalement sur la pyridoxine et concluent que les besoins quotidiens chez les femmes enceintes sont de 10 mg pour la bonne marche des fonctions métaboliques comparativement à 2 mg chez les autres femmes.

Une déficience d'acide folique est très fréquente. L'apport vitaminique recommandé durant la grossesse est donné au tableau ci-dessous.

Tableau 6. Les concentrations vitaminiques recommandées durant la grossesse

	Australie	Canada	N.-Zélande	R.-Uni	É.-U.	OMS
Vitamine A μg	750	900	750	750	1000	750
Vitamine D μg	10	5,0	10	10	10	10
Vitamine E mg	–	7,0	13,5	–	10	–
Vitamine C mg	60	50	60	60	80	60
Thiamine mg	1,2	1,2	1,2	1,0	1,4	1,0
Riboflavine mg	1,5	1,5	2,5	1,6	1,5	1,5
Acide nicotinique mg	19	15	18	1,8	15	16,8
Pyridoxine mg	2,6	2,0	2,5	–	2,6	–
Acide folique μg	400	250	500	–	800	600
Vitamine B_{12} μg	3,0	4,0	4,0	–	4,0	5,0

Les phases de croissance rapide: l'enfant en pleine croissance a besoin de vitamines autant pour le processus de croissance lui-même que pour un fonctionnement métabolique normal. La plupart des études faites s'appliquaient à l'élevage des animaux; on y a établi qu'un apport vitaminique adéquat ne suffit pas à assurer le maximum de croissance, mais que des taux optimaux de vitamines sont alors requis. La plupart des autorités s'accordent pour dire que les besoins de l'enfant sont relativement plus élevés que ceux de l'adulte, proportionnellement au poids corporel et aux rations alimentaires.

Les régimes amaigrissants: lorsqu'un régime réduisant l'apport calorique et alimentaire est entrepris sans l'avis d'un professionnel de la santé, il y a de fortes chances que les besoins vitaminiques minimaux ne soient pas comblés. Ce sont des besoins vitaux pour la santé et ils ne dépendent aucunement du nombre de calories ingérées, exception faite peut-être de la thiamine. Avec la plupart des régimes amaigrissants, l'apport calorique passe de 2 500 à 1 000 calories par jour. On estime que la réduction de l'apport vitaminique se fait sensiblement dans les mêmes proportions. Si 2 500 calories comblent à peine les besoins vitaminiques minimaux, il faut s'attendre à une déficience en vitamines lorsque les calories sont réduites à 1 000. Tous les régimes amaigrissants devraient inclure quotidiennement une préparation de multivitamines et minéraux afin d'éviter une déficience. Cette initiative peut aussi prévenir la fatigue souvent associée aux régimes amaigrissants.

Le stress: toute situation stressante augmente les besoins de vitamines B, C et E. Si le régime alimentaire ne répond pas à cette demande, il risque de se produire une légère déficience. Les quantités requises peuvent être 2, 3 ou même 5 fois plus élevées qu'en temps normal. *Voir* aussi Stress, Athlètes.

Déficiences (Les groupes affectés par des)

Il est maintenant reconnu par quelques gouvernements (incluant celui du Royaume-Uni) que certains groupes de la population risquent plus d'avoir une déficience en vitamines et minéraux. Un supplément vitaminique pourrait leur être profitable. Dans la plupart des cas, une préparation de multivitamines et minéraux fournissant les quantités minimales requises quotidiennement est suffisante si elle est prise régulièrement. Pour connaître les raisons d'un apport vitaminique plus faible dans ces groupes, *voir* les causes d'une déficience.

Les groupes à risque sont:
1. les femmes enceintes; *voir* Déficience, les causes - Grossesse;
2. les femmes qui allaitent; *voir* Déficience, les causes - Allaitement;
3. les femmes en âge de procréer peuvent avoir besoin d'un supplément de fer. L'ingestion simultanée de vitamine C, dans les proportions de 100 mg de vitamine C pour 10 mg de fer, assurera une absorption adéquate du fer;
4. les personnes qui entreprennent un régime amaigrissant sans avis médical; *voir* Déficience, les causes - Régimes amaigrissants;
5. les personnes qui mangent sur le pouce ou qui consomment des aliments trop cuits ou gardés trop longtemps, ayant par conséquent perdu la plus grande partie des vitamines labiles; *voir* Déficience, les causes - Un régime alimentaire inadéquat;
6. en hiver, les enfants et les adolescents ainsi que les adultes immobilisés à la maison qui ne reçoivent peut-être pas suffisamment de vitamine D, à cause d'un

manque d'exposition de la peau au soleil. En l'absence d'un apport alimentaire adéquat de vitamine D, celle produite par la peau devient la principale source de vitamine;

7. les enfants et les adolescents qui, à cause de caprices, n'ont pas une diète équilibrée; *voir* Déficience, les causes - Les caprices alimentaires;

8. les convalescents qui ont un fort retard à rattraper au point de vue nutritif. Les déficiences en vitamines chez les convalescents sont causées par:

   a) une faible consommation d'aliments pendant la maladie,
   b) l'effet des médicaments,
   c) la présence d'infection, lorsqu'il y a lieu; *voir* Déficience, les causes - Les infections - Les médicaments;

9. les personnes âgées et celles souffrant d'incapacité variable ou d'apathie qui négligent de se préparer des repas équilibrés; *voir* Déficience, les causes - Indifférence - Problèmes dentaires - Mauvaise digestion;

10. les personnes vivant seules et qui ne se donnent pas la peine bien souvent de se préparer des repas frais et équilibrés;

11. les athlètes en période d'entraînement et ceux dont le travail exige une activité physique; *voir* Athlètes et Déficience, les causes - Activité physique.

Déficiences (Les symptômes)

Des signes et symptômes existent pour la plupart des déficiences vitaminiques, particulièrement lorsque les concentrations sont sérieusement diminuées. Rendu à ce stade, le traitement est du ressort du médecin. Toutefois, de légères anomalies, associées à une déficience vitaminique moins sévère, sont maintenant bien identifiées dans certaines couches de la population. À cet égard, quelques régions du corps offrent une excellente source d'information. Une interprétation judicieuse de ces signes combinée à un examen physique et à l'histoire médicale du patient permettent de déceler une mauvaise nutrition. Les régions les plus évidentes sont la peau, la bouche et les yeux, mais certains troubles gastro-intestinaux et certains symptômes nerveux peuvent être décelés par le patient. Les changements dans le sang, les vaisseaux sanguins, le cœur, les os et le système reproducteur requièrent des techniques d'investigation plus sophistiquées. Il est alors préférable de s'en remettre au médecin.

La peau

La plupart de nos connaissances concernant les effets des déficiences vitaminiques proviennent de recherches effectuées sur les animaux; les résultats ne peuvent pas toujours être transposés chez l'humain. Toutefois les problèmes cutanés répondent souvent à un supplément de vitamine A.

Vitamine A: la peau est dure, pointillée. Cette affection porte le nom de phrynodermie (peau de crapaud). C'est peut-être bien le résultat d'une déficience en vitamine A, mais aussi une déficience en acides gras polyinsaturés. Des petites lésions, en relief, dures et fortement pigmentées sont probablement causées par une déficience en vitamine A. Plusieurs irritations mineures de la peau, de même que l'eczéma, l'acné, le psoriasis répondent souvent à des traitements de vitamine A, tant topiques qu'oraux, ce qui donne à penser que ces problèmes étaient causés, du moins en partie, par une déficience en vitamine A.

Vitamine E: les plaies qui n'arrivent pas à guérir, le tissu cicatriciel encore douloureux ou les vergetures qui restent marquées, sont des signes pouvant être associés à une déficience en vitamine E.

Vitamine K: des plaques pourpres sous la peau (portant le nom de purpura) peuvent être le reflet d'une déficience en prothrombine qui, à son tour, est peut-être le résultat d'un manque de vitamine K.

Vitamine C: de petites effusions de sang sous la peau, connues sous le nom de pétéchies, se dispersant de façon diffuse en différentes régions de la peau, caractérisent une déficience en vitamine C. L'apparition de papules durcies près des follicules pileux, particulièrement sur les mollets et les fesses, peut indiquer une déficience en vitamine C. Les poils ne sortent pas ou prennent une forme spiralée.

Pyridoxine: une déficience en pyridoxine produit une peau écailleuse et sèche et éventuellement la chute des cheveux. La séborrhée, sécrétion excessive des glandes sébacées, se développe aux yeux, au nez, aux lèvres et à la bouche, allant parfois jusqu'aux sourcils et aux oreilles. Une rougeur des surfaces humides du corps est un autre signe d'une déficience en pyridoxine. Une dermatite d'apparence écailleuse et pigmentée se produit parfois au cou, à l'avant-bras, au coude et aux cuisses.

Riboflavine: les lésions cutanées typiques d'une déficience en riboflavine sont des lèvres gercées et des fissures aux commissures de la bouche, médicalement appelées chéilite, une séborrhée au nez et aux lèvres, des dermatites vaginales ou scrotales, des ulcères de la bouche et de la langue.

Acide nicotinique: une déficience flagrante cause la pellagre qui présente, comme changement initial, une rougeur temporaire similaire à celle résultant d'un coup de soleil. Elle disparaît pour laisser place à des taches rouges fortement colorées qui se fusionnent, formant une éruption rouge sombre ou pourpre qui finit par se desquamer finement et la peau s'atrophie. Le visage, le cou, les mains et les pieds sont les régions les plus affectées. La pellagre s'accompagne souvent d'un œdème et d'une ulcération. Les lésions rugueuses sur les mains portent le nom de «gant pellagreux».

L'acide pantothénique: chez les animaux, les symptômes de déficience sont le grisonnement des poils et une ulcération de la peau. Toutefois il n'existe aucune évidence nous permettant d'affirmer qu'une carence en acide pantothénique produirait des effets similaires chez l'homme. Le syndrome des pieds brûlants ou syndrome de Gopalan pourrait être d'origine nerveuse plutôt que provenir d'une carence vitaminique. Quelques lésions cutanées, dont certaines correspondent à une déficience en riboflavine, ont bien répondu à des doses d'acide pantothénique. Ceci nous permet de supposer que ces lésions sont le produit d'une carence multivitaminique.

Biotine: une inflammation localisée de la peau, qui s'écaille et se desquame, caractérise la carence en biotine chez les nourrissons.

La bouche

Les lésions de la bouche incluent celles des lèvres. On reconnaît qu'elles peuvent être spécifiques à certaines déficiences.

Riboflavine: une névralgie de la langue, des lèvres gercées et des fissures aux commissures de la bouche, parfois accompagnées d'ulcères tenaces, caractérisent une carence en riboflavine. La langue est de couleur magenta avec des fissures profondes et des papilles saillantes.

Acide nicotinique: la langue est enflée et d'un rouge faisant penser à du bœuf cru. Une déficience en acide nicotinique produit une inflammation de la bouche, des gencives et de la langue.

Pyridoxine: la déficience se caractérise par des lèvres gercées et fendues dans les coins et une inflammation de la langue. Ces symptômes peuvent être le résultat d'une déficience généralisée en vitamines du complexe B plutôt que d'être spécifiques à la pyridoxine.

Vitamine B_{12}: la langue lisse et douloureuse associée à une déficience en vitamine B_{12} sert presque de diagnostic, puisque ces symptômes font partie des caractéristiques de l'anémie pernicieuse.

Vitamine C: dans les cas de déficiences importantes, on observe le saignement et l'inflammation des gencives et le déchaussement des dents. Il se produit de petites hémorragies localisées dans la bouche.

Biotine: chez les nourrissons souffrant d'une dermatite spécifiquement causée par une carence en biotine, on observe aussi une excoriation de la muqueuse buccale.

Le système gastro-intestinal

Peut être affecté par une déficience en vitamines du complexe B, à différents niveaux.

Thiamine: la déficience se caractérise par de la diarrhée, accompagnée de gonflements abdominaux et de douleurs à l'estomac.

Acide nicotinique: une déficience donne invariablement de la diarrhée.

Acide pantothénique: une paralysie partielle du tractus intestinal incluant une occlusion intestinale postopératoire peut être associée à une carence en acide pantothénique. Les symptômes sont un gonflement et des douleurs abdominales parfois accompagnés d'un transit intestinal bloqué.

Les yeux

Les déficiences peuvent affecter la vue et les tissus de l'œil.

Vitamine A: le symptôme spécifique d'une carence en vitamine A est la cécité nocturne, caractérisée par une mauvaise adaptation de l'œil à des conditions de faible intensité lumineuse. Les tissus de l'œil sont aussi affectés, particulièrement la sclérotique (blanc de l'œil) et la conjonctive (muqueuse) qui s'épaississent et s'assèchent.

Riboflavine: les vaisseaux sanguins sont affectés, entraînant des rougeurs importantes de la sclérotique (blanc de l'œil). Une conjonctivite (inflammation des muqueuses) se produit fréquemment à la paupière inférieure. La sensation d'avoir des grains de sable dans les yeux, un larmoiement constant et des troubles de vision sont autant de symptômes d'une déficience en riboflavine.

Thiamine: le symptôme le plus commun d'une déficience en thiamine est une faiblesse de la vue non associée à des lésions spécifiques. Les autres symptômes oculaires incluent le nystagmus, mouvements rythmiques involontaires du globe oculaire, une fatigue des muscles de l'œil, une paralysie de l'œil accompagnée d'une perte d'acuité et de clarté de vision.

Acide nicotinique: les symptômes sont similaires à ceux qu'on trouve par suite d'une carence en thiamine, ce qui donne à penser qu'il s'agirait plutôt d'une déficience multivitaminique.

Vitamine C: les hémorragies dans l'œil apparaissent, bien souvent, avant celles de la peau.

Vitamine K: lorsqu'il y a carence en vitamine K chez le nourrisson, il se produit souvent des hémorragies dans la rétine.

Le système nerveux central

Une déficience de la plupart des vitamines du complexe B a des conséquences sur le système nerveux.

Thiamine: une déficience majeure entraîne une confusion mentale pouvant aller jusqu'au coma. Une déficience plus légère cause du nystagmus (des mouvements rythmiques involontaires du globe oculaire) et parfois de la confusion mentale. Les autres symptômes sont la fabulation (narration d'expériences fictives) et une polynévrite (inflammation des nerfs). Les conséquences nerveuses incluent un affaissement du pied et de la main lorsque les nerfs moteurs sont touchés.

Pyridoxine: une déficience chez les enfants produit des convulsions dues à un taux inadéquat de GABA (acide gamma-aminobutyrique) dans le cerveau. Chez l'adulte, le symptôme le plus commun est une inflammation généralisée des nerfs (une névrite périphérique) caractérisée par des fourmillements, un engourdissement, une douleur cuisante et la perte de la sensation vibratoire.

Acide nicotinique: les premiers signes à apparaître sont une névrite périphérique et une encéphalopathie (maladie ou inflammation du cerveau). Les symptômes tardifs sont causés par une démence qui se développe progressivement. L'appréhension, la confusion, un déséquilibre mental et des comportements maniaques en sont les manifestations.

Vitamine B_{12}: les symptômes de déficience sont des picotements dans les pieds et les mains, une faiblesse des membres, une raideur dans les jambes, une instabilité, de la léthargie et de la fatigue. On observe du délire et de la confusion dans les cas avancés. Les sensations tactiles (le toucher) sont affaiblies et les réflexes diminués.

Acide folique: le seul symptôme d'une déficience dans le système nerveux est une psychose caractérisée par un déséquilibre mental, le patient étant confus, incapable de décrire des événements et inconscient de ces symptômes.

Le sang

Une carence de certaines vitamines peut produire différentes sortes d'anémie. Les symptômes communs aux anémies sont de la pâleur, de la fatigue, de la léthargie, une difficulté respiratoire, de la faiblesse, des vertiges, des maux de tête, un tinnitus (bruit constant dans la tête), des points devant les yeux, des étourdissements, de l'irritabilité, une aménorrhée, une perte de la libido et parfois une fièvre légère. Occasionnellement, des troubles gastro-intestinaux et même une insuffisance cardiaque peuvent se manifester.

Anémie mégaloblastique: caractérisée par une quantité excessive dans le sang de globules rouges immatures qui ne peuvent pas jouer leur rôle de transporteur d'oxygène. Elle peut être causée par une déficience en acide folique ou en vitamine B_{12}.

Anémie ferriprive: caractérisée par une incapacité à produire de l'hémoglobine à cause d'une carence en fer. Si la vitamine C est déficiente, le fer ne peut pas être absorbé et incorporé à l'hémoglobine. Une carence en vitamine C cause aussi des hémorragies contribuant ainsi à l'anémie.

Anémie hémolytique: caractérisée pas une instabilité des globules rouges du sang qui éclatent facilement et ont une durée de vie très courte. Elle peut être causée par une déficience en vitamine E, chez les enfants et les adultes.

Le cœur et les vaisseaux sanguins

Une carence en thiamine produira, dans les stades avancés, un affaiblissement important du muscle cardiaque et par conséquent un collapsus cardio-vasculaire. Le cœur est fortement hypertrophié. Une déficience en vitamine B_6 peut entraîner des dépôts graisseux importants dans le cœur et les vaisseaux sanguins, connus sous le nom d'athérosclérose.

Les os

Les modifications se produisant dans les os à la suite de déficiences vitaminiques ne peuvent généralement être décelées qu'au moyen de radiographies et d'un diagnostic clinique. Quelques changements, tels ceux produits par une carence en vitamine A, riboflavine, pyridoxine et acide pantothénique, ont été observés chez les animaux seulement.

Vitamine C: une déficience produit une calcification anormale, mais ceci ne peut être décelé qu'au moyen de radiographies.

Vitamine D: une déficience chez les nourrissons cause du rachitisme, les symptômes les plus apparents étant de l'agitation et une incapacité à dormir, un retard dans le développement des habiletés suivantes: s'asseoir, ramper et marcher, un retard dans la soudure des os ainsi qu'un durcissement des os du crâne causé par une minéralisation inadéquate. L'ossification des os longs se fait mal, et les os longs n'arrivent pas à supporter le poids de l'enfant, de sorte qu'on observe l'apparition de jambes arquées et de genoux cagneux. Une déformation du thorax, appelée thorax en carène, se produit parfois. Ces changements peuvent être détectés très tôt par des radiographies. Une déficience en vitamine D chez les adultes ne produit pas de rachitisme puisque chez eux la formation des os est complétée, mais elle entraîne de l'ostéomalacie. On observe une déminéralisation des os plutôt qu'une incapacité des os à se minéraliser. Les os affectés sont la colonne vertébrale, le bassin et les extrémités inférieures. Au fur et à mesure que les os ramollissent, les jambes peuvent s'arquer et les vertèbres se tasser, réduisant ainsi la taille. Les os du bassin s'aplatissent.

Le système reproducteur

Les déficiences vitaminiques chez la majorité des espèces animales induisent des changements dans le processus de reproduction et affectent les organes reproducteurs. Chez les femelles enceintes, des anomalies fœtales aboutissant à des avortements sont parfois symptomatiques d'une carence en vitamines. On ne peut pas toujours extrapoler ces résultats chez l'humain, mais des données éparses amènent à la conclusion qu'une déficience en vitamine B_{12} ou en vitamine E peuvent produire la stérilité chez l'homme et une fausse-couche chez la femme, problèmes réversibles avec une thérapie vitaminique appropriée.

Déficiences (Tests)

Les déficiences vitaminiques sont habituellement déterminées à partir de tests sanguins, mais ceux-ci sont demandés seulement s'il y a présence de signes cliniques manifestes. L'analyse des cheveux ne peut pas indiquer l'état vitaminique d'un individu, mais peut par contre donner de bons indices d'une déficience possible en minéraux.

Les tests utilisés pour détecter une déficience vitaminique sont:

Vitamine A: les taux de vitamine A et de carotène peuvent être déterminés dans le sang, mais aucune de ces mesures n'indique adéquatement l'état de ces vitamines dans l'organisme puisqu'elles sont fortement emmagasinées dans le corps. La concentration de la vitamine A se situe normalement entre 15 et 60 μg par 100 ml de sérum sanguin, celle du carotène entre 8 et 40 μg par 100 ml.

Vitamine D: le meilleur procédé pour diagnostiquer une déficience en vitamine D est d'estimer la concentration du 25-hydroxycholecalciférol dans le sang. Toutefois c'est une méthode de dosage spécialisée. L'examen radiographique est une excellente méthode pour détecter le rachitisme et l'ostéomalacie chez les individus, particulièrement les radiographies des extrémités des os longs. Une troisième façon est de mesurer la concentration sanguine de l'enzyme alcalin, la phosphatase. Des taux élevés peuvent être l'indice de rachitisme, même avant que ces changements puissent être perçus à la radiographie, mais ce test n'est pas spécifique.

Vitamine E: il existe trois tests pouvant indiquer une carence possible en vitamine E. Il s'agit premièrement de mesurer la concentration sérique du tocophérol. C'est une méthode simple et elle fournit un indice fiable de la concentration de la vitamine en circulation. Les valeurs normales se situent entre 1,0 et 3,0 mg par 100 ml de sérum sanguin.

Le deuxième test implique le dosage urinaire de la créatinine. La créatinine est habituellement absente dans l'urine, mais elle apparaît lors d'une déficience en vitamine E. La créatine, habituellement excrétée sous forme de créatinine, provient des muscles et un excès dans l'urine indique une dégradation musculaire résultant d'une déficience en vitamine E.

Le troisième test mesure la fragilité des globules rouges du sang en présence de peroxyde d'hydrogène. Les globules rouges normaux résistent bien au peroxyde d'hydrogène, mais lorsqu'on est en présence d'une déficience en vitamine E, ils éclatent immédiatement.

Vitamine K: il est impossible de mesurer directement la vitamine K dans le sang; toutefois le dosage des facteurs sanguins de la coagulation nous donne une bonne idée de l'état de la vitamine K présente. Ce test est aussi utilisé pour mesurer l'effet des antagonistes de la vitamine K, comme la warfarine, sur la coagulation du sang, lorsque ce médicament est pris régulièrement.

Vitamine C: une déficience possible peut être décelée par un dosage des taux dans le plasma sanguin et par l'importance de la quantité excrétée dans l'urine. Les globules blancs fournissent une meilleure estimation de la concentration sanguine de la vitamine C comparativement aux résultats provenant du plasma; par contre, cette technique est beaucoup plus lente et est surtout utilisée en recherche. Les concentrations sanguines normales de la vitamine C varient de 0,4 à 1,5 mg par 100 ml; par contre les globules blancs en contiennent 25 à 38 mg par 100 ml. Des taux inférieurs à 7 mg par 100 ml dans les leucocytes indiquent un haut risque de scorbut.

Habituellement, seulement 13 à 15 mg de vitamine C sont excrétés quotidiennement dans l'urine; des taux inférieurs peuvent indiquer une déficience possible. Cette hypothèse sera confirmée par un test de saturation.

Plusieurs petites doses de vitamine C sont données pendant une période de temps déterminée. Après un délai de quatre à six heures, on mesure la concentration urinaire de la vitamine C. Si l'individu souffre d'une déficience en vitamine C, ses taux urinaires n'augmenteront pas, puisque l'organisme sature ses tissus avant toute excrétion. Aussi, une concentration urinaire plus élevée indique que l'organisme est saturé en vitamine C et qu'il n'y a pas de carence. On augmente l'apport de la vitamine C jusqu'à son apparition dans l'urine. Un individu peut facilement déterminer s'il a besoin de vitamine C en faisant lui-même le test suivant: il s'agit de prendre 300 mg, toutes les 4 à 6 heures, avec de l'eau. On détermine la présence de la vitamine C dans l'urine en ajoutant un colorant à l'échantillon de l'urine. Une décoloration du colorant confirme la présence de la vitamine C. Un colorant de choix est le 2.4 dinitrophénylhydrazine, disponible sous forme de jauge de papier préimprégné. Un test permettant un dépistage de masse consiste à introduire un colorant bleu inoffensif, le 2.6 dichlorophenolindophenol, sous la langue ou à la surface des gencives. Le temps requis pour que la teinture se décolore reflète l'état de la vitamine C dans l'organisme; plus le temps est long, plus il y a de possibilités d'une carence vitaminique. Il s'agit simplement d'un test préliminaire, les résultats devront être confirmés par d'autres moyens avant qu'on en tire une conclusion.

Thiamine: on peut la mesurer directement dans le sang et l'urine ou indirectement, en dosant un enzyme qui nécessite la présence de la thiamine pour être actif. Les concentrations plasmatiques sont normalement basses et se situent entre 0,5 et 1,3 µg par 100 ml. Le dosage de la vitamine présente dans un échantillon d'urine collectée pendant 24 heures est un indice fiable d'une carence en thiamine. On peut améliorer la sensibilité de ce test en mesurant l'excrétion urinaire après une dose orale. Si les résultats restent bas, il y a de fortes chances que l'individu soit déficient en thiamine.

Pyridoxine: les taux de phosphate de pyridoxal présent dans le sang avant et après une dose orale de vitamine peuvent indiquer une carence en pyridoxine. Les concentrations normales sont de 5 µg par 100 ml au moins. Un second test mesure l'acide xanthurénique dans l'urine. Normalement, les concentrations sont inférieures à 25 mg par jour, mais si une dose orale de l'acide aminé tryptophane est donnée à un individu déficient en pyridoxine, l'acide xanthurénique sera excrété à des taux supérieurs à 50 mg par jour. La pyridoxine est nécessaire pour convertir l'acide xanthurénique en ses différents métabolites; ainsi, en l'absence de cette vitamine, l'acide xanthurénique s'accumule et est aussitôt excrété.

Acide nicotinique: on ne peut se fier aux dosages sanguins parce qu'aucun test n'est suffisamment sensible et spécifique. On fait habituellement le dosage en mesurant le rapport des dérivés méthylés de l'acide nicotinique sur la créatinine, présents dans l'urine.

Vitamine B_{12}: les taux sanguins peuvent être mesurés directement, du fait que certaines bactéries ont besoin de cette vitamine pour se développer normalement. Le degré de croissance de ces micro-organismes est un bon indice de la quantité de vitamine B_{12}. On utilise plus communément la vitamine B_{12} marquée radioactivement pour mesurer son absorption. Ce test porte le nom d'épreuve de Schilling.

Acide folique: le diagnostic d'une carence en acide folique est habituellement basé sur la présence d'anémie macrocytaire (en l'absence de déficience en vitamine B_{12}), d'une moelle épinière mégaloblastique et de la leucopénie (faible concentration sanguine des globules blancs). Les taux sériques peuvent être mesurés, mais comme ce test est long et difficile à effectuer, il n'est pas de premier choix comme test de routine. Les valeurs normales se situent entre 0,5 et 2,0 µg par 100 ml dans le sérum et entre 16 et 64 µg par 100 ml de globules rouges. Lorsqu'on administre oralement l'acide aminé histidine, l'acide formimino-glutamique (FIGLU) voit sa concentration urinaire augmenter dramatiquement lorsqu'il y a une déficience en acide folique.

Acide pantothénique: le dosage de l'acide pantothénique sanguin suffit habituellement à diagnostiquer une carence. Pour une confirmation, on mesurera l'activité du coenzyme A qui dépend des taux d'acide pantothénique.

Déhydrorétinol

Vitamine A2.

Delta tocophérol

Voir Vitamine E.

Démence sénile

Processus de dégénérescence accompagné d'une destruction cellulaire importante de certaines régions du cerveau se produisant plus fréquemment chez les femmes. La démence sénile se manifeste généralement vers l'âge de 70 à 80 ans, donc beaucoup plus tardivement que la maladie d'Alzheimer. Pour le traitement, *voir* Alzheimer (Maladie d').

Dents

On peut prévenir la carie dentaire, particulièrement chez les enfants, avec des doses orales de 10 mg de pyridoxine par jour. Un apport adéquat de vitamines A et D pendant l'enfance est essentiel au développement normal d'une bonne dentition. L'absorption de 100 mg de vitamine C aux repas a été utilisée chez les enfants lors de traitements orthodontiques. *Voir* aussi Bruxisme.

Dépigmentation de la peau

Voir Vitiligo.

Dépression

Une dépression légère peut être associée à une déficience en vitamine B_6 induite par certains médicaments, par les contraceptifs oraux et la tension prémenstruelle. On la traite avec 25 à 50 mg de vitamine B_6 quotidiennement ou 50 à 100 mg par jour à partir du jour 10 du cycle menstruel jusqu'au jour 3 du cycle suivant lorsque la dépression est causée par le syndrome prémenstruel ou les contraceptifs oraux. Lorsque la dépression est induite par des médicaments, les besoins minimaux se situent à 25 mg de B_6 quotidiennement.

Dermatite

Inflammation de la peau caractérisée par de la rougeur, du suintement, la formation d'une croûte, la desquamation et parfois la formation de cloques. On l'associe parfois à une carence en vitamines du complexe B, en vitamine A ou en vitamine F. Le traitement consiste à prendre de fortes doses du complexe vitaminique B, de la vitamine A oralement ou en application topique, ou les deux, les acides gras polyinsaturés (PUFA) pris oralement, spécialement sous forme d'huile de carthame ou d'huile de primevère.

Dermatite séborrhéique

Inflammation chronique de la peau caractérisée par des rougeurs et de la desquamation, accompagnée souvent d'acné, de psoriasis et d'acné rosacée. Les nourrissons peuvent être traités avec des doses quotidiennes de 5 mg de biotine jusqu'à la guérison. En plus de la biotine prise oralement, les adultes peuvent parfois bénéficier d'une application de pommade contenant 10 mg de pyridoxine par gramme.

Désodorisant

La vitamine E est utilisée comme anti-oxydant pour retarder la dégradation des composants de la sueur contenant de l'oxygène.

Diabète

Affection caractérisée par une concentration élevée de sucre dans le sang (hyperglycémie) qui persiste longtemps après les repas à cause d'un manque d'insuline. Les conséquences à long terme sont de l'artériosclérose, des problèmes cardiaques, la gangrène, la cécité pouvant être reliée à une déficience en certaines vitamines. Les besoins quotidiens sont augmentés pour les vitamines suivantes: vitamine B_6 (25 mg), vitamine C (500 mg), vitamine E (400 u.i.), vitamine A (7 500 u.i. parce que les diabétiques sont incapables de produire la vitamine A à partir des carotènes).

Diarrhée

Elle est spécialement associée à une déficience importante en nicotinamide, mais peut répondre à un supplément du complexe vitaminique B.

Dicoumarol

Médicament anticoagulant qui agit en inhibant l'activité de la vitamine K.

Dindon

Le dindon cuit contient des vitamines A, D, E et du carotène à l'état de traces seulement. Les concentrations des vitamines du complexe B présentes (en mg par 100 g) sont: thiamine (0,07 - 0,10), riboflavine (0,11 - 0,29), acide nicotinique (3,0 - 15,6), pyridoxine (0,30 - 0,59), acide pantothénique (0,7 - 0,9), et (en μg par 100 g) sont: vitamine B_{12} (1 - 3), acide folique (8 - 25), biotine (1 - 2). La vitamine C est absente.

Voir aussi Viandes - Pertes lors de la cuisson.

Dispositif intra-utérin

Stérilet. *Voir* Contraceptifs.

Douleurs musculaires

Les douleurs musculaires peuvent être causées par une déficience en biotine. Le traitement consiste à ingérer de 2 à 5 mg de vitamine quotidiennement.

Dystrophie musculaire progressive

La dystrophie musculaire est une maladie des muscles caractérisée par l'affaiblissement et la dégénérescence progressive des fibres musculaires, sans signe de dégénérescence nerveuse. Elle est vue comme une déficience en vitamine E chez de nombreuses espèces animales. La dystrophie musculaire peut être corrigée par un traitement vitaminé. Il n'y a aucune preuve de lien entre la vitamine E et la dystrophie musculaire chez l'humain, mais certaines personnes ont bien répondu à de fortes doses de vitamine E, prise de préférence conjointement avec du sélénium minéral.

On a prétendu obtenir des résultats bénéfiques dans certains cas rares avec l'ubiquinone, une substance naturelle semblable aux vitamines et produite par l'organisme sous l'influence de la vitamine E.

E

E (Vitamine)

Vitamine liposoluble qu'on nomme parfois tocophérol provenant de «tokos», accouchement, et «phero», *supporter*. Connue aussi sous les noms d'alpha tocophérol (vitamine E naturelle), dl-alpha tocophérol (synthétique), et d-bêta tocophérol, dl-gamma tocophérol, d-delta tocophérol (toutes naturelles), vitamines anti-stérilité, vitamine de reproduction. Elle a été isolée du germe de blé par les Drs H. M. Evans et K.S. Bishop en 1936 à l'Université de Californie. Elle est présente dans les suppléments sous forme d'acétate d-alpha tocophéryl, de succinate d-alpha tocophéryl, tous deux d'origine naturelle, et d'acétate dl-alpha tocophéryl, et du succinate d-l alpha tocophéryl d'origine synthétique. On peut aussi trouver du d-alpha tocophérol naturel et du dl-alpha tocophérol synthétique. Disponible sous forme de vitamine soluble dans l'eau. Les aliments contiennent un mélange des 4 tocophérols.

Principales sources (en mg par 100 g)		Destruction par
Huile de germe de blé	190	Cuisson commerciale
Huile de soja	87,1	Transformation industrielle, dont la
Huile de tung	81,0	congélation
Huile de maïs	66,1	Grande friture
Huile de coton	63,5	Extraction des huiles à l'aide de
Huile de carthame	49,2	solvants
Huile d'écorce de riz	44,4	Fer à l'état ferrique
Huile de tournesol	27,1	
Huile d'arachide	11,7	**Fonctions**
Pommes de terre frites	11,4	Antioxydation
Beurre d'arachide	7,7	Diminution des besoins d'oxygène
Crevettes	6,6	des muscles
Rondelles d'oignon frites	6,4	Anticoagulation
Huile de lin	6,1	Dilatation des vaisseaux sanguins

Huile d'olive	4,6
Jaune d'œuf	4,6
Muesli	3,2
Riz brun	2,4
Légumes verts	2,24
Darnes de saumon	1,81
Pois frais	1,73
Haricots verts	1,68
Foie	1,62
Croustilles	1,59
Tomates	1,40
Laitue	1,20
Viande	0,63
Céleri	0,57
Pommes	0,51
Carottes	0,50
Bananes	0,42
Fraises	0,40
Oignons	0,34
Oranges	0,23
Pommes de terre	0,09

Maintien en bon état des vaisseaux sanguins
Protection des acides gras polyinsaturés, des acides aminés et de la vitamine A
Prévention des thromboses, de l'athérosclérose, des thrombophlébites
Augmentation du rapport HDL/cholestérol
Action conjointe avec le sélénium
Meilleure résistance aux infections par l'action des leucocytes

Apport quotidien recommandé aux É.-U.

3 mg (0 à 6 mois)
4 mg (6 mois à 1 an)
5 mg (1 à 3 ans)
6 mg (4 à 6 ans)7 mg (7 à 10 ans)
8 mg (garçons 11 à 14 ans)
8 mg (filles 11 ans et plus)
10 mg (garçons 15 ans et plus)
(grossesse)
11 mg (allaitement)

Symptômes de déficience

Enfants: irritabilité
rétention d'eau
anémie hémolytique
Adultes: manque de vitalité
léthargie
apathie
manque de concentration
10 mg
irritabilité
faiblesse musculaire
manque de désir sexuel

Causes de déficience

Mauvaise absorption des graisses
Chirurgie du système gastro-intestinal
Alcoolisme
Ictère obstructif
Sprue tropicale
Utilisation prolongée de paraffine liquide
Inhalation excessive d'oxygène

Utilisations thérapeutiques

Maladie du foie
Claudication intermittente
Thrombose cérébrale
Thrombose coronaire
Arthérosclérose
Varices
Thrombophlébites
Problèmes menstruels
Stérilité

82

Absorption excessive de graisses ou d'huiles polyinsaturées manquant de cette vitamine	Ulcères de la peau Gangrène due au diabète Affections des muscles, nerfs et articulations
Symptômes de toxicité Nausées Diarrhée Faiblesse musculaire Augmentation graduelle de la pression sanguine, sauf chez ceux qui prennent des médicaments pour le cœur Palpitations	Anémie hémolytique chez le nouveau-né Thalassémie Anémie à hématites falciformes Maladies d'oxygène chez les bébés prématurés Coups de soleil Brûlures

Ecchymoses

Hémorragies sous-cutanées causées par une fragilité des capillaires. La variation de couleur est reliée à la conversion de l'hémoglobine sanguine en pigments biliaires. La fragilité cutanée aux moindres traumatismes peut être prévenue par un apport adéquat de vitamine C et de flavonoïdes, particulièrement chez les sportifs.

Écran solaire

Le PABA est la substance la plus efficace pour protéger la peau des rayons solaires. On l'utilise dans les crèmes et les lotions à des concentrations moyennes de 5%. Le PABA offrirait une excellente protection contre le cancer de la peau induit par les rayons ultra-violets.

Eczéma

C'est une lésion inflammatoire de la peau caractérisée par des démangeaisons aiguës ou chroniques, non contagieuses. L'eczéma peut être causé par une déficience en acides gras essentiels, et plus spécifiquement par une déficience en acide gamma-linoléique.

L'eczéma infantile peut être causé par un manque d'acide gamma-linoléique dans le lait de vache. Le traitement consiste en une ingestion orale d'huile de primevère à des doses de 1 500 à 3 000 mg par jour.

L'eczéma atopique est le résultat d'une réaction allergique et pourrait répondre à des doses orales allant jusqu'à 3 000 mg par jour d'huile de primevère.

Les autres vitamines utiles dans le traitement de l'eczéma incluent la vitamine A (7 500 u.i.), la vitamine C (jusqu'à 1 000 mg), les vitamines du complexe B à hautes doses et l'inositol (500 mg) pris tous les jours.

Embolie

Obstruction ou occlusion des vaisseaux sanguins, spécialement des artères, par un caillot qui se détache. Traitement: *voir* Caillot sanguin.

Endive

Espèce de chicorée. Bonne source de carotène, elle en fournit en moyenne 2 mg par 100 g, mais contenant de la vitamine E à l'état de traces seulement. Les vitamines du complexe B présentes (en mg par 100 g) sont: thiamine 0,05, riboflavine 0,05, acide nicotinique 0,6. C'est une excellente source d'acide folique (330 μg par 100 g). L'endive fournit 12 mg de vitamine C par 100 g.

Endurance

Elle est augmentée par la vitamine E. L'apport quotidien optimal est de 100 à 150 u.i. pour une période d'entraînement totalisant 1 1/2 à 2 heures et de 250 à 300 u.i. pour un entraînement de 3 à 4 heures.

Chez les chevaux de course, des doses quotidiennes de 5 000 à 10 000 u.i. de vitamine E ont augmenté leur performance et calmé les bêtes nerveuses.

Enfants

Les besoins vitaminiques sont proportionnels au poids, mais on doit aussi tenir compte des exigences de la croissance. Les enfants sont plus sujets à avoir un appétit variable, à se montrer capricieux et à rechercher les aliments riches en calories mais pauvres en vitamines. Un régime alimentaire équilibré est essentiel à la bonne santé.

Un léger supplément de vitamines et minéraux pourra leur être bénéfique.

Engelures

Congestion et enflure de la peau causées par le froid, suivies de démangeaisons sévères et de douleur cuisante. Les engelures peuvent être traitées oralement avec de l'acide nicotinique (25 mg). On peut compléter le traitement avec une crème contenant du méthylnicotinate (1%) et d'autres ingrédients non vitaminiques.

Entérite régionale

Voir Crohn (Maladie de).

Épilepsie

Maladie nerveuse caractérisée par des attaques convulsives. De grandes quantités d'acide folique peuvent neutraliser l'effet des médicaments anticonvulsivants, de la phénytoïne en particulier.

Épinards

Les épinards cuits dans l'eau sont une excellente source de carotène, en fournissant en moyenne 6,0 mg par 100 g (variation de 4 à 10 mg). Le taux de vitamine E est de 2,0 mg par 100 g. Les vitamines du complexe B présentes (en mg par 100 g) sont: thiamine 0,07, riboflavine 0,15, acide nicotinique 1,8, pyridoxine 0,18, acide pantothénique 0,21. C'est une excellente source d'acide folique; ils en fournissent 140 μg par 100 g. La biotine est présente à l'état de traces seulement (0,1 μg par 100 g).

Épreuve de Schilling

Permet de déterminer spécifiquement une carence en vitamine B_{12} induite par la non-absorption de la vitamine provenant du régime alimentaire. On administre oralement une petite quantité de vitamine B_{12} radioactive, suivie plus tard d'une forte dose intraveineuse afin de stimuler l'élimination de la vitamine absorbée. On mesure alors pendant une période de 24 heures la radioactivité de l'urine. On reprend le test en ajoutant cette fois le facteur intrinsèque. La différence obtenue dans les quantités excrétées permet de poser un diagnostic.

Éruption sudorale

Connue également sous le nom de miliaire, elle résulte d'une rétention de la sueur. Elle se présente sous la forme de petites pustules à la surface de la peau, qui irritent et causent des démangeaisons et parfois même des saignements dans les régions atteintes. Ces malaises peuvent être prévenus et traités avec une dose quotidienne de 1 000 mg de vitamine C pour un adulte de 68 kg (150 livres) et des doses proportionnellement moindres pour les enfants.

Essence de café et de chicorée

Très peu de vitamines y ont été décelées. La concentration de la riboflavine est de 0,03 mg par 100 g, celle de l'acide nicotinique de 2,8 mg par 100 g.

Extrait de bœuf

C'est une excellente source de vitamines du complexe B. Toutefois, l'extrait de bœuf est complètement dépourvu de carotène, de vitamine E et de vitamine C. Les vitamines B présentes (en mg par 100 g) sont: thiamine 9,1, riboflavine 7,4, acide nicotinique 85, pyridoxine 0,53. Le taux d'acide folique est de 1 040 µg par 100 g et celui de la vitamine B_{12} de 8,3 µg par 100 g.

Extrait de levure

C'est une excellente source de la plupart des vitamines du complexe B, mais le carotène et les vitamines E et C en sont absents. Les vitamines du complexe B présentes (en mg par 100 g) sont: thiamine 3,1, riboflavine 11, acide nicotinique 67, pyridoxine 1,3. Le taux d'acide folique est de 1 010 µg par 100 g.

L'extrait de levure contient 0,5 µg de vitamine B_{12} par 100 g, mais celle-ci a probablement été ajoutée.

F

Facteur citrovorum

Acide folinique.

Facteur extrinsèque

Vitamine B_{12}.

Facteur intrinsèque

Protéine spécifiquement sécrétée par l'estomac et qui forme un complexe avec la vitamine B_{12} provenant de l'alimentation. Ce complexe est ensuite absorbé par l'iléon, partie inférieure de l'intestin grêle. L'absence du facteur intrinsèque entraîne l'anémie pernicieuse, la vitamine B_{12} provenant des aliments ne pouvant être absorbée. L'ablation de l'estomac ou d'une partie de l'estomac peut causer une déficience du facteur intrinsèque.

Un apport du facteur intrinsèque pris conjointement avec la vitamine B_{12} peut aider à absorber cette vitamine. Toutefois, comme le facteur intrinsèque provient des animaux, il peut perdre son efficacité.

Les mécanismes du facteur intrinsèque permettent d'absorber un maximum de 8 µg d'une dose orale de vitamine B_{12}.

Facteur LLD

Vitamine B_{12}.

Facteur PP

Acide nicotinique.

Fanes de navets

Bouillies, elles sont une excellente source de carotène, en fournissant 6 mg par 100 g (avec des variations se situant entre 4,0 et 12,0 mg par 100 g). La concentration de la vitamine E est de 1,0 mg par 100 g. Les vitamines du complexe B présentes (en mg par 100 g) sont: thiamine 0,06, riboflavine 0,20, acide nicotinique 0,9, pyridoxine 0,16, acide pantothénique 0,30. Elles sont une bonne source d'acide folique, en fournissant 110 µg par 100 g. La teneur en biotine est de 0,4 µg seulement. Elles sont une très bonne source de vitamine C (40 mg par 100 g avec des variations se situant entre 20 et 70 mg).

Farine blanche

La farine blanche non enrichie contient beaucoup moins de vitamines B et E que la farine de blé entier. On retrouve les concentrations suivantes (en mg par 100 g): thiamine 0,01, riboflavine 0,03, acide nicotinique 3,0, biotine 0,001, vitamine E (traces). De nos jours, la farine blanche est enrichie avec de la thiamine et de l'acide nicotinique, 0,31 et 4,3 mg par 100 g respectivement.

Farine de blé entier

C'est une excellente source de vitamines du complexe B, fournissant (en mg par 100 g): thiamine 0,46, riboflavine 0,08, acide nicotinique 8,1, pyridoxine 0,50, acide folique 0,057, acide pantothénique 0,8, biotine 0,007, et de la vitamine E 2,1. La farine de blé entier est dépourvue des vitamines A, D et C et de carotène.

Farine de maïs

Particules d'amidon provenant du maïs. Complètement dépourvue de carotène, de vitamine E et de vitamine C. Contient les vitamines suivantes à l'état de traces seulement: thiamine, riboflavine, acide nicotinique, pyridoxine, acide pantothénique, acide folique et biotine.

Farine de seigle

Elle contient moins de vitamines du complexe B que la farine de blé entier. Malgré cela, la farine de seigle en est une bonne source, fournissant (en mg par 100 g): thiamine 0,40, riboflavine 0,22, acide nicotinique 2,6, pyridoxine 0,35, acide folique 0,071, acide pantothénique 1,0, biotine 0,006, et de la vitamine E 1,5.

Farine de soja

Excellente source de vitamines du complexe B. Lorsqu'elle est dégraissée, la farine de soja fournit des concentrations vitaminiques plus élevées. Ainsi, on trouve dans la farine de soja dégraissée et non dégraissée respectivement les vitamines suivantes (en mg par 100 g): thiamine (0,90, 0,75), riboflavine (0,36, 0,31), pyridoxine (0,68, 0,57), acide nicotinique (13,0, 10,6), acide folique (0,43, 0,40), acide pantothénique (2,1, 1,8), biotine (0,07, 0,7).

Fatigue

Premiers signes d'une déficience en acide pantothénique, en thiamine, en vitamine C, en vitamine E. La fatigue peut être associée à une déficience vitaminique généralisée mais peu sévère. Le traitement consiste à prendre un supplément multivitaminique. S'il n'y a pas d'amélioration après un mois, il est préférable de consulter un médecin.

Femmes

Les besoins de vitamines et de minéraux des femmes diffèrent de ceux des hommes à cause du cycle menstruel. Ainsi, un supplément de pyridoxine peut être nécessaire 10 jours ou plus avant les menstruations. La dose habituelle est d'au moins 25 mg par jour. Les apports de vitamine C, d'acide folique, de vitamine B_{12} et de vitamine E sont augmentés afin de favoriser l'incorporation du fer dans l'hémoglobine et de compenser les pertes dans le flux menstruel. Un supplément de multivitamines et minéraux est requis pendant la grossesse et l'allaitement. L'utilisation de contraceptifs oraux augmente les besoins de certaines vitamines.

Fer

Minéral qui joue un rôle dans la formation de l'hémoglobine. Cette dernière agit comme transporteur de l'oxygène dans le sang. La présence de la vitamine C favorise l'absorption du fer provenant des aliments et des suppléments. La vitamine E est détruite par le fer sous forme ferrique; la forme ferreuse semble plus acceptable.

Fertilité

Mesurée chez l'homme par le nombre et la mobilité des spermatozoïdes présents dans le sperme. On ne peut associer officiellement les problèmes de stérilité chez l'homme à une déficience vitaminique; toutefois, les vitamine A, B_{12} et E semblent être nécessaires à la production normale de sperme. Ces vitamines sont indiscutablement requises pour la reproduction chez plusieurs espèces animales. Il n'y a pas d'évidence marquée que la vitamine E pourrait aider les femmes infertiles, mais 200 u.i. quotidiennement ont permis d'éviter une fausse-couche chez des femmes qui y étaient prédisposées. La vitamine B_{12} pourrait aider certaines femmes ayant des problèmes à devenir enceinte.

Fèves

Contenu vitaminique très variable selon le type. *Consulter* les variétés individuelles.

Fèves cuites

Les fèves cuites dans la sauce aux tomates ne contiennent pas de vitamines A et D ni de carotène, mais on y trouve 1,4 mg de vitamine E par 100 g. Les vitamines du complexe B présentes (en mg par 100 g) sont: thiamine 0,07, riboflavine 0,05, acide nicotinique 1,3, pyridoxine 0,12. L'acide pantothénique est absent. On trouve un peu d'acide folique (29 µg par 100 g), pas de biotine et des quantités négligeables de vitamine C.

Fèves de lima

Bouillies, elles fournissent 250 µg de carotène par 100 g et 2,5 mg de vitamine E. Les vitamines du complexe B présentes (en mg par 100 g) sont: thiamine 0,10, riboflavine 0,04, acide nicotinique 3,7, aucune trace de pyridoxine, acide pantothénique 3,8. On trouve de l'acide folique et de la biotine à l'état de traces seulement.

Bonne source de vitamine C, les concentrations passent de 15 mg par 100 g à 6 mg lorsque les fèves sont mises en conserve.

Fèves germées

En conserve, elles sont complètement dépourvues des vitamines A, D et E et de carotène. C'est une source médiocre de vitamines du complexe B, fournissant les taux suivants (en mg par 100 g): thiamine 0,02, riboflavine 0,03, acide nicotinique 0,5, pyridoxine 0,03, acide pantothénique non décelé. On trouve l'acide folique à l'état de traces (12 μg par 100 g) ainsi que la biotine. La vitamine C est présente à des taux de 1 mg par 100 g lorsqu'il s'agit de fèves germées en conserve et de 30 mg à l'état frais.

Fèves Mung

Crues, les fèves Mung fournissent du carotène à un taux de 24 mg par 100 g. Les vitamines du complexe B présentes en des quantités appréciables (en mg par 100 g) sont: thiamine 0,45, riboflavine 0,20, acide nicotinique 5,5, pyridoxine 0,50, alors qu'on n'a trouvé aucune trace d'acide pantothénique. Elles sont une bonne source d'acide folique avec 140 μg par 100 g. La teneur en vitamine C est négligeable.

Fèves rouges

Ces haricots crus sont virtuellement dépourvus de vitamines liposolubles. Les vitamines du complexe B sont présentes en concentrations appréciables; ainsi, on y trouve les taux suivants (en mg par 100 g): thiamine 0,54, riboflavine 0,18, acide nicotinique 5,5, pyridoxine 0,44, acide pantothénique 0,50. C'est une bonne source d'acide folique; elles en fournissent 130 μg par 100 g. La teneur en vitamine C est négligeable.

Fibrose kystique

Maladie congénitale débutant habituellement dans la petite enfance, caractérisée par une infection chronique des voies respiratoires, une insuffisance pancréatique et une intolérance à la chaleur. L'infection entraîne une augmentation des besoins de vitamine C (jusqu'à 1 000 mg par jour). L'insuffisance pancréatique cause une mauvaise absorption des graisses, augmentant par conséquent les besoins de vitamines liposolubles. Un apport quotidien de vitamine A (7 500 u.i.), de vitamine D (400 u.i.) et de vitamine E (250 u.i.) s'avère nécessaire.

Figues

Les figues fraîches encore vertes sont une bonne source de carotène et contiennent quelques vitamines du complexe B et un peu de vitamine C. Le taux de carotène est de 500 μg par 100 g. La vitamine E est absente. Les vitamines du complexe B présentes (en mg par 100 g) sont: thiamine 0,06, riboflavine 0,05, acide nicotinique 0,6, pyridoxine 0,11, acide pantothénique 0,30. L'acide folique et la biotine n'ont pu être décelés. *Voir* aussi Figues sèches.

Figues sèches

Elles contiennent une concentration plus élevée de vitamines B que les figues fraîches, mais la cuisson, avec ou sans sucre, en réduit les taux. Les taux de vitamines pour les figues séchées crues, cuites sans sucre et cuites avec sucre sont respectivement pour le carotène (en μg par 100 g) de 50, 30, 30. Les vitamines du complexe B présentes fournissent respectivement (en mg par 100 g): thiamine (0,10, 0,05, 0,05), riboflavine (0,08, 0,04, 0,04), acide nicotinique (2,2, 1,2, 1,2), pyridoxine (0,18, 0,08, 0,07), acide pantothénique (0,11, 0,22, 0,21). Les taux d'acide folique (en μg par 100 g) sont respectivement de 9, 2 et 2. La biotine, la vitamine C et la vitamine E sont absentes.

Filets de poisson panés

C'est une source vitaminique médiocre. Les vitamines A, D, E et le carotène sont présents à l'état de traces seulement. Les vitamines du complexe B présentes (en mg par 100 g) sont: thiamine 0,08, riboflavine 0,06, acide nicotinique 3,6, pyridoxine 0,21. Les taux de vitamine B_{12} et d'acide folique sont respectivement de 1 μg et 15 μg par 100 g. La vitamine C est absente.

Flavonoïdes

Appelés originairement vitamine P, ils sont connus aussi sous le nom de flavones, complexe flavonoïde. Ils sont toujours accompagnés de la vitamine C dans les aliments. Ce sont des facteurs hydrosolubles, ils incluent la rutine, l'hespéridine, la quercétine, la nobilitine, la tangéritine, la sinensetine, l'ériodictyole, l'heptaméthoxyflavone, la myricine, le kaempférol.

Les principales sources alimentaires sont les fruits citrins (la pelure et la pulpe), les abricots, les cerises, les raisins, les poivrons verts, les tomates, les papayes, le brocoli, le cantaloup, le sarrasin. Tout le complexe flavonoïde est présent dans les citrons. Le sarrasin contient surtout de la rutine. La partie blanche au centre des fruits citrins en est la source la plus riche.

La stabilité est élevée, même dans les fruits et légumes en conserve.

Ils **agissent** avec la vitamine C pour maintenir l'intégrité des vaisseaux sanguins, particulièrement les capillaires. Ils exercent aussi une action anti-inflammatoire, et anti-infectieuse.

Les symptômes de déficience incluent de petites hémorragies sous la peau et une apparition d'ecchymoses aux moindres traumatismes.

Aucun symptôme de toxicité n'a été rapporté.

Voici **l'utilisation thérapeutique** des flavonoïdes: ils semblent avoir un effet bénéfique sur les problèmes menstruels, particulièrement sur les saignements fonctionnels de l'utérus. Les varices, les ulcères variqueux, les hémorroïdes, l'apparition excessive d'ecchymoses associées aux sports, le traitement des thromboses, les saignements de nez, les saignements des gencives sont d'autres indications où les flavonoïdes peuvent être utiles. Il existe deux types de flavonoïdes ayant chacun une action distincte et spécifique.

1. Le type méthoxylé se présente à peu près exclusivement dans les fruits citrins. La nobilitine a une action anti-inflammatoire. Les autres flavonoïdes méthoxylés préviennent l'adhésivité plaquettaire et par conséquent fluidifient le sang. La nobilitine et la tangéritine agissent comme agents désintoxicants. Les autres bioflavonoïdes méthoxylés possèdent des propriétés anti-infectieuses.

2. Les flavonoïdes hydroxylés, comme la quercétine, la myricine et le kaempférol, semblent prévenir la formation de cataractes. Ils agissent comme anti-oxydant dans la conservation des aliments. La rutine est utilisée spécifiquement pour traiter l'hypertension, l'artériosclérose et les hémorragies sous-cutanées.

Foie

C'est le plus gros organe du corps, constituant un quarantième du poids corporel.

Lieu d'emmagasinage des vitamines A et D, de la riboflavine, de l'acide pantothénique, de la biotine, de l'acide folique, de la pyridoxine, de la vitamine B_{12} et de la vitamine C. Le foie d'une personne qui se nourrit convenablement contient suffisamment de vitamines A, D et B_{12} pour son maintien pendant une période de 6 mois à 2 ans. Les autres vitamines doivent être fournies régulièrement, tous les jours ou presque.

Lieu d'activation de toutes les vitamines, c.-à-d. de conversion de la thiamine, de la riboflavine, de la nicotinamide, de la pyridoxine, de l'acide pantothénique et de la biotine en complexes phosphatés, lieu de transformation de l'acide folique en acide folénique, lieu de conversion de la vitamine B_{12} en ses formes coenzymes, de conversion de la vitamine D en 25-hydroxy vitamine D et de la vitamine A en acide rétinoïque. Toutes ces transformations sont essentielles pour que les vitamines puissent jouer leur rôle dans les fonctions métaboliques.

Lieu de synthèse de la choline et de l'inositol et de leur incorporation subséquente en lécithine.

Lieu de conversion du cholestérol en sels biliaires dépendant de la vitamine C.

Lieu de production des protéines nécessaires à la coagulation du sang, dépendant de la vitamine K.

Les maladies du foie peuvent causer une perte excessive de toutes les vitamines, principalement celles du complexe B, peuvent empêcher la captation des vitamines par le foie et peuvent réduire l'efficacité de la transformation des vitamines en formes métaboliquement actives.

L'alcool et certains médicaments produisent les mêmes effets sur les vitamines.

La stéatose hépatique ou **surcharge graisseuse des cellules du foie** est causée par une déficience en choline et en inositol.

Foie (en tant qu'abat)

De toutes provenances, le foie contient de grandes quantités de vitamine A et de carotène et fournit une certaine quantité de vitamines D et E. Les quantités (en mg par 100 g) sont: vitamine A 9,3 à 20,6, carotène 0,1 à 1,54, vitamine E 0,24 à 0,50. La vitamine D peut varier de 1,7 à 4,4 µg par 100 g.

Bonne source de toutes les vitamines B, le foie contient également les plus hauts taux de vitamine B_{12} et d'acide folique de tous les produits animaux. Les concentrations (en mg par 100 g) sont: thiamine 0,18 à 0,37, riboflavine 1,7 à 4,4, acide nicotinique 14,3 à 21,4, pyridoxine 0,40 à 0,83, acide pantothénique 4,6 à 8,8, vitamine B_{12} 0,025 à 0,111, acide folique 0,11 à 0,50, biotine 0,027 à 0,17.

Les concentrations de vitamine C vont de 10 à 23 mg par 100 g.

Foie déshydraté

Poudre concentrée de foie de bœuf. Le foie a subi un séchage sous vide, à basse température, de façon à conserver sa pleine valeur nutritive.

Les vitamines présentes (en mg par 100 g) sont: vitamine A 20 mg, thiamine 1,0, riboflavine 9,57, pyridoxine 2,31, acide nicotinique 44,9, acide pantothénique 24,1, acide folique 1,09, vitamine B_{12} 0,363, biotine 0,109, vitamine C 75,9, vitamine E 1,39, carotène 5,08.

Folacin

Acide folique.

Folates

Groupe d'éléments apparentés à l'acide folique et présents dans les aliments et dont seulement quelques-uns possèdent une activité vitaminique.

Fraises

Elles sont une excellente source de vitamine C et fournissent une bonne quantité de vitamines du complexe B. La mise en conserve entraîne des pertes vitaminiques, notamment de la vitamine C. Les taux de carotène des fraises fraîches et en conserve sont de 30 et de 2 μg par 100 g respectivement. La concentration de la vitamine E est stable à 0,2 mg par 100 g. Les fruits crus et en conserve fournissent respectivement les vitamines du complexe B suivantes (en mg par 100 g): thiamine (0,02, 0,01), riboflavine (0,03, 0,02), acide nicotinique (0,5, 0,4), pyridoxine (0,06, 0,03), acide pantothénique (0,34, 0,31). Le taux d'acide folique est stable à 20 μg par 100 g, de même que celui de la biotine à 1,1 μg par 100 g. La teneur en vitamine C passe de 60 mg (variation de 40 à 90 mg) par 100 g dans les fraises fraîches à 21 mg dans les fraises en conserve. Les fraises congelées contiennent sensiblement les mêmes concentrations que les fruits frais, exception faite de la vitamine C qui voit sa concentration diminuer à 50 mg par 100 g.

Framboises

Elles sont une bonne source de vitamine C et de vitamine E. Elles contiennent un peu de carotène et de vitamines du complexe B. La plupart des vitamines sont préservées lorsque le fruit est préparé en compote; toutefois la mise en conserve entraîne certaines pertes. Ainsi, on trouve respectivement les concentrations suivantes dans le fruit frais, préparé en compote sans sucre, avec sucre et mis en conserve: carotène (80, 85, 75 μg par 100 g), vitamine E (stable à 4,5 mg par 100 g). Pour les vitamines du complexe B on trouve respectivement les taux suivants (en mg par 100 g): thiamine (0,02, 0,02, 0,02, 0,01), riboflavine (stable à 0,03), acide nicotinique (0,5, 0,5, 0,5, 0,4), pyridoxine (0,06, 0,05, 0,05, 0,04), acide pantothénique (0,24, 0,23, 0,21, 0,17). L'acide folique n'a pas été décelé. Les taux de biotine sont respectivement de 1,9, 2,0, 1,8, et 1,6 μg par 100 g, tandis que ceux de la vitamine C sont de 25 (variation entre 14 et 35), 23, 22 et 7 mg par 100 g respectivement.

Le contenu vitaminique des framboises congelées est semblable à ce qu'on trouve dans les fruits frais, mise à part la vitamine C qui voit sa concentration passer à 20 mg par 100 g.

Frites congelées

Elles contiennent des vitamines B et C. On observe une concentration vitaminique plus élevée après friture à cause de la perte d'eau. Les vitamines du complexe B présentes (en mg par 100 g) pour les frites congelées et les frites congelées après friture sont respectivement: thiamine (0,08, 0,09), riboflavine (0,01, 0,02), acide nicotinique (2,1, 2,8), pyridoxine (0,28, 0,39), acide pantothénique (0). Les taux d'acide folique sont de 12 et 11 μg par 100 g respectivement, et ceux de la vitamine C de 6 et 4 mg par 100 g.

Fromage

Il fournit la plupart des vitamines qui proviennent principalement du lait, mais quelques-unes résultent de la synthèse bactérienne se produisant au cours de la fabrication du fromage. Tous les fromages sont dépourvus de vitamine C.

Les types Edam et Cheddar fournissent (en mg par 100 g): vitamine A 0,31, carotène 0,205, thiamine 0,04, riboflavine 0,50, acide nicotinique 6,22, pyridoxine 0,08, acide folique 0,02, acide pantothénique 0,30, biotine 0,002, vitamine B_{12} 0,0015, vitamine E 0,8; vitamine D 0,26 μg.

Le type fromage Bleu Danois fournit (en mg par 100 g): vitamine A 0,27, carotène 0,17, thiamine 0,03, riboflavine 0,60, acide nicotinique 6,32, pyridoxine 0,15, acide folique 0,05, acide pantothénique 2,0, biotine 0,002, vitamine B_{12} 0,0012, vitamine E 0,7; vitamine D 0,23 μg.

Le fromage fermenté genre Camembert fournit (en mg par 100 g): vitamine A 0,215, carotène 0,135, thiamine 0,05, riboflavine 0,60, acide nicotinique 6,17, pyridoxine 0,20, acide folique 0,06, acide pantothénique 1,4, biotine 0,0006, vitamine B_{12} 0,0012, vitamine E 06; vitamine D 0,181 μg.

Le type Stilton fournit (en mg par 100 g): vitamine A 0,37, carotène 0,23, thiamine 0,07, riboflavine 0,30, acide nicotinique 6,03, vitamine E 1,0; vitamine D 0,312 μg. Les autres ne sont pas connues.

Le fromage cottage est une source médiocre de vitamines comparativement aux autres fromages, fournissant (en mg par 100 g): vitamine A 0,032, carotène 0,018, thiamine 0,02, riboflavine 0,19, acide nicotinique 3,29, pyridoxine 0,01, acide folique 0,009; vitamine B_{12} 0,5 μg et vitamine D 0,0023 μg.

Le fromage à la crème est une excellente source de vitamines liposolubles, mais il contient des concentrations plus faibles de vitamines hydrosolubles que les fromages à pâte dure. Il fournit (en mg par 100 g): vitamine A 0,385, carotène 0,22, vitamine E 1,0, thiamine 0,02, riboflavine 0,14, acide nicotinique 0,82, pyridoxine 0,01, acide folique 0,005; vitamine B_{12} 0,3 μg et vitamine D 0,275 μg.

Le fromage industriel fournit une quantité appréciable de vitamine A et de carotène, mais les autres vitamines voient leur concentration diminuer. On trouve donc (en mg par 100 g): vitamine A 0,24, carotène 0,12, thiamine 0,02, riboflavine 0,29, acide nicotinique 5,13, acide folique 0,002; vitamine D 0,145 μg.

Le fromage fondu à tartiner contient des concentrations vitaminiques plus faibles que les fromages à pâte dure. Il fournit (en mg par 100 g): vitamine A 0,18, carotène 0,105, thiamine 0,02, riboflavine 0,24, acide nicotinique 4,37; vitamine D 0,133 μg.

Fruit de la passion

Le fruit de la passion est une bonne source de vitamine C et de certaines vitamines du complexe B présentes dans la partie comestible du fruit cru. La teneur en carotène est de 100 µg par 100 g. Aucune trace de vitamine E n'a été décelée. Les vitamines du complexe B sont présentes aux concentrations suivantes (en mg par 100 g): thiamine sous forme de traces, riboflavine 0,10, acide nicotinique 1,9. La teneur en vitamine C s'élève à 20 mg par 100 g.

Fruits de mer

Incluent les crustacés, tels que crabe, homard, crevettes roses et grises, langouste, et les mollusques, tels que coque, moule, huître, pétoncle, buccin, bigorneau. Tous contiennent de la vitamine A, du carotène et de la vitamine D à l'état de traces. Les taux de vitamine E varient de 0,1 à 1,5 mg par 100 g, le homard, les moules, les huîtres et le buccin étant les plus riches.

Ils sont une source modérée de vitamines du complexe B; ils en fournissent (en mg par 100 g): thiamine (0,01 - 0,10), riboflavine (0,01 - 0,20), acide nicotinique (0,5 - 6,3), pyridoxine (0,03 - 0,35), acide pantothénique (0,06 - 1,63).

Tous les fruits de mer contiennent jusqu'à 2 µg de vitamine B_{12} par 100 g, exception faite des huîtres qui atteignent des concentrations de 15 µg. L'acide folique et la biotine sont présents à l'état de traces seulement. La teneur en vitamine C est négligeable dans la plupart des fruits de mer, mises à part les huîtres du Pacifique et les huîtres Olympia, qui en fournissent 22 et 38 mg par 100 g respectivement. *Voir* Poisson.

Fumée de cigarette

Elle contient quatre principaux poisons: l'acétaldéhyde, des carcinogènes, de l'oxyde de carbone et de la nicotine.

Les effets toxiques de l'acétaldéhyde, de l'oxyde de carbone et de la nicotine sont neutralisés par les vitamines B_1 et C, et la cystéine. Le bêta-carotène exerce une action protectrice contre les carcinogènes.

Les gros fumeurs peuvent inactiver la vitamine B_{12}, entraînant ainsi l'anémie pernicieuse et éventuellement la cécité. On traite avec des injections d'hydroxycobalamine.

G

Gangrène

Nécrose des tissus résultant d'une mauvaise circulation artérielle ou d'une complication tardive du diabète. Un apport adéquat de vitamine E au cours de la vie (200 - 400 u.i. quotidiennement) pourrait prévenir cette nécrose. Des doses plus élevées ont été utilisées comme traitement (1 200 u.i. par jour).

Il est essentiel de consulter un médecin dans les cas de diabète avant de s'autotraiter, puisqu'à ces doses, les besoins d'insuline peuvent être diminués.

Garniture pour tartes aux fruits

Les préparations en conserve sont pauvres en vitamines. La thiamine, la pyridoxine, l'acide pantothénique, la biotine et la vitamine C sont présents à l'état de traces seulement. Les taux de riboflavine et d'acide folique sont respectivement de 0,01 mg et 1,0 μg par 100 g.

Gélatine

À l'exception de la vitamine B_{12}, toutes les autres vitamines du complexe B sont présentes à l'état de traces seulement.

Gelures

Lésions cutanées causées par un froid excessif et qui se caractérisent par de la rougeur, de l'enflure et de la douleur pouvant atteindre les tissus profonds. Dans un climat froid, l'emploi de la vitamine C (425 mg par jour) pourrait aider à prévenir les engelures en maintenant la température corporelle.

Gencives

Voir Gingivite.

Germe de blé

Germe ou embryon du grain de blé situé à l'extrémité inférieure et composé d'une racine et d'une pousse minuscules qui deviendront la future plante. Il constitue 3% du poids total du grain. Le germe de blé (60 g - 2 onces quotidiennement) pris conjointement avec de la vitamine C (2 000 mg par jour) serait, semble-t-il, plus efficace pour prévenir les problèmes respiratoires que la vitamine C seule.

Le germe de blé est habituellement stabilisé par une chaleur tempérée, mais le produit final contient encore une bonne quantité de vitamines B et E, fournissant (en mg par 100 g): thiamine 1,45, riboflavine 0,61, acide nicotinique 11,1, pyridoxine 0,95, acide folique 0,33, acide pantothénique 1,7, vitamine E 11,0.

Gingivite

Inflammation des gencives. Le traitement consiste à prendre de fortes doses de vitamine A (500 000 u.i.) et de vitamine E (30 u.i.) quotidiennement en injections pendant six jours, puis 50 000 u.i. de vitamine A trois fois par jour et 200 u.i. de vitamine E deux fois par jour oralement pendant trois semaines. On prétend que la guérison est complète, sans aucune rechute.

Glande surrénale

Glande produisant les hormones anti-stress (par exemple, l'hydrocortisone) à partir du cholestérol. De grandes concentrations d'acide pantothénique et de vitamine C sont requises dans la glande.

Glaucome

Maladie de l'œil. Le glaucome est caractérisé par une augmentation de la pression intra-oculaire entraînant une restriction du champ visuel, la vision d'un halo coloré autour des lumières, la réduction de l'acuité visuelle et éventuellement la cécité. Un apport quotidien adéquat de vitamine A (7 500 u.i.) et de riboflavine (10 mg) favorise une bonne vision. De plus, la pression intra-oculaire peut être réduite par l'absorption quotidienne de 500 mg par kg de poids corporel de vitamine C pendant quelques mois.

Glossite

Inflammation de la langue. C'est le symptôme d'une déficience en vitamine B_{12}. Lorsque d'autres facteurs sont en cause, un supplément de nicotinamide, à des doses allant jusqu'à 300 mg par jour, pourrait aider.

Glutéthimide

Médicament hypnotique. La glutéthimide entrave l'absorption de l'acide folique et la conversion de la vitamine D en 25-hydroxy vitamine D.

Gombo

Le gombo est une plante originaire d'Afrique. À l'état cru, il fournit 90 µg de carotène par 100 g. Les vitamines du complexe B qui s'y trouvent (en mg par 100 g) sont: thiamine 0,10, riboflavine 0,10, acide nicotinique 1,3, pyridoxine 0,08, acide pantothénique 0,26. Source appréciable d'acide folique, avec 100 mg par 100 g de produit, il fournit également un taux de vitamine C de 25 mg par 100 g.

Goutte

Manifestations récurrentes de type arthritique, caractérisées par des poussées inflammatoires dans le gros orteil et les articulations des doigts, accompagnées de dépôts de cristaux d'urate de sodium (acide urique) dans les jointures et les tendons.

L'acide orotique (4 g par jour pendant six jours) aide à dissoudre les cristaux d'acide urique et élimine la douleur et l'enflure.

Goyave

Les données sont disponibles seulement pour les fruits en conserve. C'est une excellente source de vitamine C et une bonne source de carotène. La teneur en carotène est de 100 µg par 100 g. La vitamine E est pratiquement absente. Les vitamines du complexe B présentes (en mg par 100 g) sont: thiamine 0,04, riboflavine 0,03, acide nicotinique 1,0. Les taux de vitamine C sont de 180 mg par 100 g. Les goyaves fraîches fournissent en moyenne 200 mg de vitamine C par 100 g avec des variations de 20 à 600 mg par 100 g.

Graisses

Complexe d'acide gras polyinsaturés (vitamine F) et saturés et de glycérine. Les graisses solides contiennent principalement des acides gras saturés et monoinsaturés (par exemple, les graisses d'origine animale). Les huiles contiennent habituellement surtout des acides gras polyinsaturés et quelques acides gras monoinsaturés (par exemple, les huiles végétales). Les margarines dures sont composées principalement d'acide gras saturés et monoinsaturés, tandis que les margarines molles contiennent plus d'acides gras polyinsaturés.

Toutes les graisses et les huiles, indépendamment de leur origine, produisent 37,66 kJ par gramme. Une proportion de 40% des calories ingérées dans le régime alimentaire des pays occidentaux proviennent des matières grasses. La plupart des gouvernements recommandent aujourd'hui une réduction de 25 à 35% de l'apport calorique. Quelques-uns suggèrent de remplacer les graisses insaturées par des graisses polyinsaturées en consommant de préférence les graisses d'origine végétale. L'apport plus élevé d'acides gras polyinsaturés nécessite une augmentation concomitante de vitamine E.

Les taux élevés de matière grasse dans le sang peuvent être réduits à l'aide de 400 u.i. de vitamine E, 500 mg de vitamine C et 15 g de granules de lécithine de soja quotidiennement. La lécithine fournit 502,26 kJ/15 g; il faut donc prendre ceci en considération. Les concentrations sanguines élevées en matière grasse, associées à un apport alimentaire riche en gras, semblent augmenter les risques de cancer, de goutte, de thromboses coronaires, d'accident vasculaire cérébral et de complications du diabète.

Graisse de rognon

Contient les vitamines suivantes (en µg par 100 g): vitamine A 52, carotène 73, acide nicotinique 200, vitamine E 1 500. Les vitamines du complexe B sont présentes à l'état de traces seulement, tandis que la vitamine C est complètement absente.

Graisse de rôti

Est dépourvue de vitamines A et C et de carotène. Les vitamines du complexe B sont présentes à l'état de traces seulement.

Grenade

Fruit du grenadier (baie ronde renfermant de nombreux pépins entourés d'une pulpe rouge). La partie comestible du fruit cru et les jus contiennent seulement des petites quantités de vitamine C et de vitamines du complexe B.

Les vitamines présentes (en mg par 100 g) sont: thiamine 0,02, riboflavine 0,03, acide nicotinique 0,2, vitamine C 8.

Groseilles à maquereau

Sont une bonne source de carotène et de vitamine C. Il existe peu de différence entre le contenu vitaminique des groseilles vertes et celui des groseilles mûres. La cuisson des groseilles vertes, avec ou sans sucre, entraîne de légères pertes vitaminiques. Ainsi, les taux de carotène dans le fruit cru, cuit sans sucre et cuit avec sucre sont respectivement (en μg par 100 g) de 100, 150 et 140. Les concentrations de vitamine E sont respectivement (en mg par 100 g) de 0,4, 0,3, 0,3. Les vitamines B présentes (en mg par 100 g) sont respectivement: thiamine (0,04, 0,03, 0,03), riboflavine (0,03, 0,03, 0,02), acide nicotinique (0,5, 0,5, 0,3), pyridoxine (0,02, 0,02, 0,02), acide pantothénique (0,15, 0,12, 0,11). Les taux de biotine sont de 0,5, 0,4 et 0,4 μg par 100 g respectivement. Les teneurs en vitamine C (en mg par 100 g) sont de 40 (variation de 25 à 50), 31 et 28 respectivement pour le fruit cru, cuit sans sucre et cuit avec sucre.

Les groseilles en conserve possèdent des concentrations de carotène et de vitamines du complexe B équivalentes à celles qu'on trouve dans le fruit cuit; toutefois les taux de vitamine C sont inférieurs, soit 24 mg par 100 g.

Groseilles blanches à grappes

Le contenu vitaminique des groseilles blanches à grappes se compare à celui des raisins rouges, exception faite du carotène qu'on trouve à l'état de traces seulement. Crues et préparées en compote, elles fournissent respectivement les vitamines du complexe B suivantes (en mg par 100 g): thiamine (0,04, 0,03), riboflavine (0,06, 0,05), acide nicotinique (0,3, 0,3), pyridoxine (0,05, 0,03), acide pantothénique (0,06, 0,05). Les taux de biotine sont de 2,6 et 2,0 μg respectivement. Les concentrations d'acide folique sont trop faibles pour être décelées. C'est une bonne source de vitamine C; elles en fournissent respectivement 40 et 30 mg par 100 g.

Grossesse

Il est reconnu que le régime alimentaire des femmes enceintes doit comporter toutes les vitamines et certains minéraux en plus grande quantité, mais on ne s'entend pas sur l'étendue exacte de cette augmentation. Les taux sanguins de vitamine A, nicotinamide, pyridoxine, vitamine B_{12} et acide ascorbique ont tendance à diminuer durant la grossesse. Il faut s'assurer d'un apport suffisant de ces vitamines, puisqu'il y a des preuves qu'une carence vitaminique augmente les risques de malformation chez les nouveau-nés. L'absorption quotidienne d'une bonne préparation multivitaminique est recommandée pendant tout le temps de la grossesse puisque la diète quotidienne peut varier et être parfois insuffisante. L'acide folique représente un cas à part; les quantités requises sont supérieures à celles qu'on trouve communément sur le marché, il faut donc consulter son médecin à ce sujet.

Gruau d'avoine

À l'état cru, le gruau d'avoine est une excellente source de vitamines du complexe B (en mg par 100 g): thiamine 0,50, riboflavine 0,10, acide nicotinique 3,8, pyridoxine 0,12, acide folique 0,060, acide pantothénique 1,0, biotine 0,020 et vitamine E 0,9. Le gruau d'avoine ne contient pas de vitamines A, D et C ni de carotène.

Gyorgy, Paul

Professeur à la faculté de médecine de l'Université de Pennsylvanie, aux États-Unis, il a été le premier à isoler la vitamine B_6, en 1934. Il a de plus isolé, pour la première fois, la biotine du foie, au début des années 1940.

H

Haricots jaunes

Ils sont virtuellement dépourvus des vitamines liposolubles. Les vitamines du complexe B (en mg par 100 g) sont: thiamine 0,45, riboflavine 0,13, acide nicotinique 5,6, pyridoxine 0,58, acide pantothénique 1,0. Ils sont une bonne source d'acide folique, en fournissant 110 mg par 100 g. La vitamine C est absente.

Haricots verts

Ils sont une bonne source de carotène avec un taux de 400 µg par 100 g après cuisson dans l'eau. La vitamine E est présente à l'état de traces seulement, soit 0,2 mg par 100 g. Les vitamines du complexe B présentes (en mg par 100 g) sont: thiamine 0,04, riboflavine 0,07, acide nicotinique 0,5, pyridoxine 0,06, acide pantothénique 0,07. Les haricots verts sont une bonne source d'acide folique (28 µg par 100 g). La biotine est présente à l'état de traces seulement. La teneur en vitamine C est de 5 mg par 100 g.

Hémorroïdes

Lésions anales souvent douloureuses, caractérisées par la dilatation des veines du rectum. Le traitement consiste à prendre de fortes doses de flavonoïdes (le complexe flavonoïde citron et rutine - jusqu'à 1 000 mg quotidiennement) et 500 mg de vitamine C par jour.

Hépatite

Inflammation du foie. Lorsque l'hépatite est causée par une infection virale, le traitement consiste à prendre, pendant quelques jours, de fortes doses de vitamine C (25 - 30 g) préférablement par voie intraveineuse. Par voie orale, les doses sont de 5 grammes aux 4 heures. Toutefois il est fortement recommandé de consulter un médecin.

Un supplément multivitaminique à hautes doses est nécessaire pour compenser les pertes de vitamines se produisant pendant et après l'atteinte hépatique.

Herpès simple

Bouton de fièvre. Un apport quotidien de l'acide aminé essentiel L-lysine (0,5 - 1,5 g) peut donner de bons résultats.

Hormonothérapie

Traitement des symptômes de la ménopause avec des hormones sexuelles femelles d'origine naturelle ou de synthèse. Ces hormones affectent les vitamines tout comme le font les contraceptifs oraux. *Voir* Contraceptifs oraux. Le traitement vitaminique est sensiblement le même.

Huile de foie de morue

Excellente source de vitamines liposolubles mais complètement dépourvue de vitamines hydrosolubles. Elle fournit (en mg par 100 g): vitamine A 18,0, vitamine D 0,21, vitamine E 20,0.

Elle contient aussi des acides gras polyinsaturés connus sous les noms d'acide éicosapentanoïque (EPA) 9% et acide docosahexanoïque (DHA) 8%, qui jouent un rôle essentiel dans le métabolisme de l'organisme. La concentration totale des acides gras polyinsaturés (vitamine F) est de 23 g par 100 g d'huile.

Huile de germe de blé

Huile obtenue par pression ou extraite, à l'aide de solvant, du germe du grain de blé. C'est une excellente source de vitamine E (190 mg par 100 g) et de vitamine F (41,54 g par 100 g).

Huiles de poisson

Les huiles provenant du corps des poissons tout autant que les huiles de foie de poisson sont une excellente source d'acides gras polyinsaturés, plus particulièrement de 2 acides gras qu'on ne peut pas trouver dans les huiles végétales provenant de graines.

Il s'agit de l'EPA (l'acide éicosapentanoïque) et du DHA (l'acide docosahexanoïque). Tous deux sont des acides gras essentiels faisant partie du complexe F et agissent comme des précurseurs des hormones connues sous le nom de prostaglandine. Ces prostaglandines inhiberaient la formation des caillots sanguins dans le système circulatoire, réduiraient les taux de gras dans le sang, augmenteraient le rapport HDL (lipoprotéines de haute densité/cholestérol) et réduiraient ainsi les risques de maladie cardiaque et d'accident vasculaire cérébral. Les prostaglandines éclaircissent effectivement le sang. Une consommation quotidienne d'une demi à une livre de poisson gras (tel que le maquereau ou le hareng) fournit suffisamment d'EPA et de DHA pour exercer un effet protecteur. L'huile de foie de morue en fournit aussi, mais à cause de son contenu en vitamines A et D, une consommation excessive peut présenter certains risques.

Des suppléments contenant 180 mg d'EPA et 120 mg de DHA par capsule, doublant ainsi la dose quotidienne habituelle, sont maintenant disponibles. Un traitement préventif requiert jusqu'à 3 capsules par jour, totalisant 900 mg d'EPA et de DHA. Les gens souffrant d'angine ou ayant déjà fait un infarctus ou un accident vasculaire cérébral pourront bénéficier d'une ingestion quotidienne de 5 capsules (fournissant en tout 1 500 mg d'EPA et de DHA). Ceci aiderait à prévenir d'autres attaques.

Huile de primevère

L'huile de graines de primevère est la seule huile qui possède des quantités considérables d'un acide gras essentiel (vitamine F), l'acide gammalinolénique (AGL). L'AGL est produit normalement par l'organisme, mais il arrive que sa synthèse soit bloquée ou insuffisante. L'AGL est utile au soulagement de la sclérose en plaques, du syndrome prémenstruel, des problèmes de peau, de l'alcoolisme, de l'hyperactivité chez les enfants, de l'arthrite et autres états inflammatoires, de même que dans les cas de troubles du système immunitaire. L'AGL agit comme précurseur des hormones prostaglandines. Les doses habituelles sont de 3 à 6 capsules par jour (500 mg d'huile contient 40 mg d'AGL).

Huile minérale

Laxatif. Elle empêche l'absorption des vitamines A, D, E, K et du carotène.

Hydralazine

Médicament utilisé pour réduire la pression sanguine. L'hydralazine accroît l'excrétion de la pyridoxine.

Hydrocortisone

Corticostéroïde naturel présent dans la glande surrénale. *Voir* Corticostéroïdes.

Hydroxycobalamine

Vitamine B_{12}.

Hyperactivité

Se produit généralement chez les enfants et se caractérise par une activité anormale ou excessive. De fortes doses quotidiennes de vitamines incluant la nicotinamide (1 - 3 g), la pyridoxine (100 - 300 mg), la vitamine C (1 g) et la vitamine E (jusqu'à 400 u.i.) peuvent aider. Une surveillance constante est essentielle.

Hypercalcémie

Chez les enfants. Des taux élevés de calcium sanguin peuvent conduire à une calcification excessive des os, un durcissement des artères et même à de l'arriération mentale. Ce sont les symptômes d'une absorption excessive de vitamine D. Chez les adultes, on assiste à un dépôt de calcium dans les tissus mous.

Hyperkératose

Se caractérise par de la peau rude, bosselée, d'où le nom de phrynodermie (peau de crapaud). C'est le signe le plus évident d'une déficience en vitamine A.

Hypertension

Élévation de la pression sanguine. *Voir* Pression sanguine.

I

Igname

Plante tropicale à gros tubercules farineux qui contient 12 µg de carotène par 100 g, à l'état cru et bouilli. La vitamine E est virtuellement absente. On trouve respectivement, dans le tubercule cru et après ébullition, les vitamines du complexe B suivantes (en mg par 100 g): thiamine (0,10, 0,05), riboflavine (0,03, 0,01), acide nicotinique (0,8, 0,8), pyridoxine (0), acide pantothénique (0,63, 0,44). L'acide folique est présent à l'état de traces seulement (6 µg par 100 g) tandis que la biotine n'a pu être décelée. La vitamine C est présente, toutefois l'ébullition cause des pertes importantes, la concentration passant de 10 mg à 2 mg par 100 g.

Iléon paralytique

Voir Chirurgie.

Immigrants

Les immigrants provenant d'Asie sont particulièrement prédisposés à souffrir d'une déficience en vitamine D, causant du rachitisme chez les enfants et de l'ostéomalacie chez les adultes. L'étiologie n'est pas connue avec certitude. On leur recommande de suivre le régime alimentaire occidental, incluant des produits laitiers, une plus longue exposition de la peau au soleil et un supplément de vitamine D.

Impotence

Incapacité du mâle d'atteindre ou de maintenir une érection de façon satisfaisante pour des relations sexuelles normales. Plus commune chez les diabétiques, parce que la faculté de convertir les carotènes en vitamine A, qui est essentielle pour la production d'hormones sexuelles, semble leur faire défaut. Un apport adéquat de vitamine A sous forme de vitamine préformée est nécessaire.

Indométhacine

Médicament utilisé pour soulager l'arthrite. Il altère l'utilisation de la vitamine C et de la thiamine.

Infarctus du myocarde

Voir Cœur (Maladie du)

Inositol

Membre du complexe vitaminique B hydrosoluble, il n'est pas considéré comme une vraie vitamine chez l'homme puisque l'organisme peut le synthétiser. On le trouve en forte concentration dans le cerveau, l'estomac, les reins, la rate, le foie et le cœur. Aussi connu comme bios I, myoinositol, mésoinositol, facteur lipotrope. L'acide phytique est l'acide hexaphosphorique de l'inositol. L'inositol est présent dans les suppléments sous forme d'inositol et d'hexanicotinate de mésoinositol, substance crystalline incolore.

Principales sources (en mg par 100 g)		Fonctions
Granules de lécithine	2 857	Agit comme facteur lipotrope
Cœur de bœuf	1 600	prévenant l'accumulation des graisses
Foie déshydraté	1 100	dans le foie et les autres organes
Germe de blé	690	Léger calmant
Huile de lécithine	360	Maintient une chevelure saine
Foie	340	Contrôle le taux de cholestérol dans le
Riz brun	330	sang
Flocons d'avoine	320	
Steak de bœuf	260	**Stabilité**
Agrumes pelés	210	Très bonne
Blé entier	190	
Noix	180	**Apport quotidien recommandé**
Mélasse	180	Non établi
Légumineuses	160	Le régime alimentaire normal en
Bananes	120	fournit entre 300 et 1 000 mg
Pain de blé entier	100	
Légumes verts	100	**Symptômes de déficience**
Pain blanc	75	Aucun spécifique
Farine de soja	70	
Poulet	50	
Maïs	50	
Légumes racines	50	
Levure de bière séchée	50	

Utilisations thérapeutiques

Réduction du taux de cholestérol sanguin
Amélioration de l'état des cheveux
Traitement de l'irritabilité
Traitement de la schizophrénie
Anxiolytique
Avec la vitamine E, traitement de dommages nerveux

Symptômes de toxicité

Aucun n'a été rapporté
Peut immobiliser certains minéraux mais n'affecte en rien les vitamines

Intoxication par les métaux lourds

L'excès de plomb, de mercure et de cadmium dans l'organisme peut être éliminé à l'aide de fortes doses de vitamine C (jusqu'à 3 000 mg quotidiennement) et de suppléments de minéraux essentiels.

Isoniazide

Médicament contre la tuberculose. L'excrétion de la pyridoxine est augmentée par la consommation de l'isoniazide.

Isotrétinoïne

Isomère de l'acide rétinoïque, moins toxique que le trétinoïne pouvant être donné oralement.

J

Jaunisse

Ictère obstructif. La coloration jaune de la peau est due à l'imprégnation des tissus par les pigments biliaires qui débordent du foie par suite d'une obstruction des canaux biliaires. Ceci entraîne une mauvaise absorption des vitamines liposolubles, de la vitamine K en particulier, qui doit être donnée par injection. Un apport de vitamine E sous forme hydrosoluble est requis.

Jus d'ananas

Le jus d'ananas en conserve contient un peu de vitamine C, de vitamines du complexe B et de carotène, mais la vitamine E est apparemment absente. Le taux de carotène est de 40 μg par 100 g. Les vitamines du complexe B présentes (en mg par 100 g) sont: thiamine 0,05, riboflavine 0,02, acide nicotinique 0,3, pyridoxine 0,10, acide pantothénique 0,10. La concentration d'acide folique est de 2 μg par 100 g. La biotine n'a pas été décelée. Le taux de vitamine C est de 8 mg par 100 g.

Jus d'orange

Les jus d'orange en conserve, sucrés et non sucrés, possèdent des concentrations semblables de carotène, de vitamine E et de vitamines du complexe B; le jus non sucré contient un taux légèrement plus élevé de vitamine C. Le taux de carotène est de 50 mg par 100 g. La vitamine E est à l'état de traces. Les vitamines du complexe B sont (en mg par 100 g): thiamine 0,07, riboflavine 0,02, acide nicotinique 0,3, pyridoxine 0,04, acide pantothénique 0,15. La teneur en acide folique est de 7 μg par 100 g, et celle de la biotine de 1 μg par 100 g. Les jus sucrés possèdent de la vitamine C à un taux de 31 mg par 100 g et les jus non sucrés un taux de 35 mg par 100 g.

Jus de pamplemousse

Le jus de pamplemousse fraîchement pressé contient plus de vitamine C que le jus en conserve. Toutefois, il existe peu de différence dans les concentrations du complexe vitaminique B. Les concentrations vitaminiques sont identiques dans les jus en conserve, qu'ils soient additionnés de sucre ou non. Le carotène est présent à l'état de traces (0,6 μg par 100 g) dans le jus frais et dans le jus en conserve. La vitamine E est présente à l'état de traces seulement. On trouve respectivement, dans le jus fraîchement pressé et le jus en conserve, les vitamines du complexe B suivantes (en mg par 100 g): thiamine (0,05, 0,04), riboflavine (0,02, 0,01), acide nicotinique (0,30, 0,30), pyridoxine (0,02, 0,01), acide pantothénique (0,16, 0,12). Les taux d'acide folique sont de 10 et 4 μg par 100 g respectivement. La biotine est stable à 1 μg par 100 g. La concentration de la vitamine C passe de 45 mg par 100 g à 29 mg par 100 g dans les jus en conserve.

Jus de tomate

Le jus de tomate en conserve est une excellente source de carotène et contient une quantité appréciable de vitamines du complexe B et de vitamine C. Le taux de carotène est de 500 μg par 100 g, celui de la vitamine E de 0,2 mg par 100 g. Les vitamines du complexe B présentes (en mg par 100 g) sont: thiamine 0,06, riboflavine 0,03, acide nicotinique 0,8, pyridoxine 0,11, acide pantothénique 0,20. On trouve 13 μg d'acide folique et 1 μg de biotine par 100 g. La teneur en vitamine C est de 20 mg par 100 g.

K

K(Vitamine)

Vitamine liposoluble. Abréviation pour «Koagulations - vitamine» en danois. On la trouve naturellement dans les aliments sous forme de vitamine K1, connue aussi sous les noms de phytoménadione, phylloquinone, phytylménaquinone, vitamine anti-hémorragique. La vitamine K1 est unique. La vitamine K est aussi disponible sous forme de vitamine K2 produite par les bactéries intestinales ou par la fermentation dans les aliments en putréfaction. La vitamine K2 désigne un groupe de vitamines, les multiprényl-ménaquinones, composées d'une chaîne carbonée contenant de 20 à 65 atomes de carbone. On les nomme de façon abrégée ménaquinone-4 à ménaquinone-13, les chiffres indiquant le nombre d'unités isoprényl, composées de 5 atomes de carbone. L'activité des vitamines K2 correspond à 75% de l'activité de la vitamine K1. La vitamine synthétique, connue sous les noms de K3, ménadione ou ménaphthone, est deux fois plus active que la vitamine K1. Elle est présente dans les suppléments vitaminiques sous forme d'acétoménaphthone, un dérivé synthétique. La vitamine K1 a été isolée de la luzerne par le Dr Henrik Dam en 1935 à l'Université de Frieberg. La vitamine K2 a été isolée de la chair de poisson en décomposition, par le Dr Edward Daisy à l'Université Saint-Louis, aux É.-U., en 1939.

Principales sources (en μg par 100 g)		Destruction par
Chou-fleur	3 600	Acides
Choux de Bruxelles	800	Alcalins
Brocoli	800	Oxydants
Laitue	700	Lumière
Épinards	600	Irradiation ultraviolette
Foie de porc	600	Quelques pertes dans la préparation
Chou	400	industrielle, dont la congélation, mais
Tomates	400	pas dans la cuisson domestique
Haricots verts	290	

Foie de bœuf	200	**Fonction**
Viande maigre	100	Contrôle de la coagulation sanguine
Pommes de terre	80	
Pois	30	
Lait de vache	20	

Causes de déficience

Nouveau-nés: mauvais transfert placentaire
faible concentration dans le lait maternel
absence de bactéries intestinales
Adultes: mauvaise absorption des graisses
manque de sels biliaires
maladies cœliaques
chirurgie aux intestins
usage prolongé d'huile minérale
traitement aux antibiotiques
problèmes du foie

Symptômes de déficience

Diathèse hémorragique des nouveau-nés: hémorragies gastriques, ombilicales et intestinales

Symptômes de toxicité

Aucun n'a été rapporté

Utilisations thérapeutiques

Diathèse hémorragique des nouveau-nés
Incapacité d'absorber les graisses
Traitement prolongé aux antibiotiques
Surdosage d'anticoagulants comme la warfarine

Apport quotidien recommandé

Non établi, à cause d'une production généralement adéquate par les bactéries intestinales

Kanamycine

C'est un antibiotique. La kanamycine entrave l'absorption des vitamines K et B_{12}.

Kératinisation

Se caractérise par la formation de cellules écailleuses, sèches et dures au lieu de cellules saines dans les muqueuses du corps, particulièrement autour des yeux, de la bouche et du vagin. Ce sont les symptômes d'une déficience en vitamine A.

Kystes

Maladie polykystique des seins non cancéreuse se produisant relativement souvent, plus particulièrement chez les femmes d'âge mûr (5% d'entre elles en sont affectées). Des maladies ou des douleurs prémenstruelles sont des symptômes fréquemment rencontrés, les kystes devenant plus sensibles, mais le plus souvent les patientes ne souffrent d'aucun symptôme sauf à la palpation.

Lorsqu'il ne s'agit pas d'une tumeur maligne, on peut le traiter avec:

1. 600 u.i. de vitamine E prises quotidiennement pendant quelques semaines; ceci devrait donner des résultats cliniques.

2. 3 000 mg par jour d'huile de primevère, divisés en 3 doses.

L

Laetrile

Facteur hydrosoluble présent dans le complexe vitaminique B, connu aussi sous les noms de amygdaline, B_17, vitamine B_17 (terme incorrect), le nom complet étant laevo-mandélonitrile-bêta-glucuronoside. Il a été isolé d'amandes de noyaux d'abricots, pour la première fois au début des années 1950, par les chercheurs E.T. Krebs et E.T. Krebs jr père et fils. C'est une poudre cristalline blanche. On le trouve dans les suppléments sous forme de laetrile.

Les principales sources sont les amandes de noyaux d'abricots (fournissant en moyenne 5 mg par amande), les amandes de noyaux de pêches, les pépins de pommes, les amandes amères, les noyaux de cerises, les noyaux de prunes, les pépins de limes, les pépins de poires, quelques herbes, quelques baies (les quantités ne sont pas connues).

Instable à la chaleur, donc les amandes seront habituellement mangées crues.

Son rôle : c'est une source de cyanure organique. On croit que les cellules cancéreuses convertissent le cyanure organique en cyanure inorganique. Toutefois, elles sont incapables d'éliminer ces éléments toxiques. Ainsi, le cyanure inorganique détruit spécifiquement les cellules cancéreuses.

Aucune déficience chez l'humain n'a été rapportée.

Aucune déficience chez les animaux n'a été rapportée.

L'apport alimentaire recommandé n'a pas été établi par les gouvernements.

Les symptômes d'une intoxication sont des sueurs froides, des maux de tête, des nausées, de la léthargie, des difficultés respiratoires, les lèvres bleues, une hypotension. Ce sont tous des symptômes associés à un excès de cyanure. Le laetrile injectable est moins toxique que les doses orales.

Contrôlé par le département de la santé et de la sécurité sociale, il est disponible uniquement sur ordonnance.

L'utilisation thérapeutique se limite au cancer, mais ses effets bénéfiques sont controversés. On préfère employer les préparations injectables. Son utilisation fait partie de l'approche holistique.

Lait

Le lait est une bonne source de toutes les vitamines mais les concentrations de vitaminès liposolubles varient avec les saisons.

Le lait de vache en été contient (en mg par 100 g): vitamine A 0,035, carotène 0,022, thiamine 0,04, riboflavine 0,19, acide nicotinique 0,86, pyridoxine 0,04, acide folique 0,005, acide pantothénique 0,35, biotine 0,002, vitamine E 0,1, vitamine C 1,5, vitamine B_{12} 0,3 mg, vitamine D 0,03 mg. *En hiver*, seules les vitamines liposolubles diminuent (par 100 g): vitamine A 26 mg, carotène 13 mg, vitamine D 0,013 mg et vitamine E 0,07 mg.

Le lait d'été stérilisé contient (par 100 g): vitamine A 31 mg, carotène 18 mg, vitamine D 0,022 mg, thiamine 0,03 mg, riboflavine 0,19 mg, acide nicotinique 0,35 mg, biotine 0,002 mg, vitamine B_{12} 0,2 µg, vitamine C 0,8 mg et vitamine E 0,09 mg.

Le lait écrémé est complètement dépourvu de vitamines liposolubles. Les vitamines hydrosolubles, soit les vitamines B et la vitamine C, se trouvent aux mêmes concentrations que dans le lait entier. *Le lait écrémé en poudre* est une excellente source de vitamines du complexe B et de vitamine C, procurant (en mg par 100 g): thiamine 0,42, riboflavine 1,6, acide nicotinique 9,75, pyridoxine 0,25, acide folique 0,021, acide pantothénique 3,5, biotine 0,016, vitamine C 6,0; le taux de la vitamine B_{12} est de 3,0 µg par 100 g.

Le lait de chèvre comprend toutes les vitamines à des concentrations semblables à celles du lait de vache.

Le lait humain présente certaines différences par rapport au lait de vache; il procure (en mg par 100 g): vitamine A 0,6, thiamine 0,02, riboflavine 0,03, acide nicotinique 0,69, pyridoxine 0,01, acide folique 0,005, acide pantothénique 0,25, vitamine C 3,7, vitamine E 0,34; le taux de vitamine D est de 0,025 µg et celui de la biotine de 0,7 µg.

Les pourcentages de perte des vitamines du lait par suite de transformations sont illustrés dans le tableau suivant. Les autres vitamines ne sont pas atteintes par la transformation.

Tableau 7. **Pourcentages de pertes des vitamines du lait transformé**

Procédé	Thiam.	Ribof.	Pyrid.	Vit. B_{12}	Ac. fol.	Vit.C	Vit.E
Pasteurisation	10	0	0	0	5	25	0
Stérilisation	20	0	20	20	30	60	0
UHT	10	0	10	5	20	30	0
UHT après 3 mois	10	0	35	20	50	100	0
Pasteurisation par ébullition	0	10	10	5	20	50	20

Laitue

C'est une source utile de carotène, de vitamine E et de vitamines du complexe B. La teneur en carotène se situe autour de 1,0 mg par 100 g, mais les feuilles vertes extérieures peuvent contenir jusqu'à 50 fois plus de carotène que les feuilles intérieures plus pâles. Le taux de vitamine E est de 1,2 mg par 100 g. Les vitamines du complexe B présentes (en mg par 100 g) sont: thiamine 0,07, riboflavine 0,08, acide nicotinique 0,4, pyridoxine 0,07, acide pantothénique 0,20. La concentration d'acide folique est de 34 µg par 100 g, tandis que celle de la biotine est seulement de 0,7 µg. C'est une bonne source de vitamine C; elle en fournit en moyenne 15 mg par 100 g.

Langue (viande)

Contient seulement des traces de vitamines A et D et de carotène. Le taux de vitamine E varie de 0,21 à 0,35 mg par 100 g. C'est une bonne source de vitamines du complexe B, fournissant (en mg par 100 g): thiamine (0,06 - 0,17), riboflavine (0,29 - 0,49), acide nicotinique (7,6 -9,8), pyridoxine (0,10 - 0,18), acide pantothénique (0,5 - 1,0). La teneur en vitamine B_{12} est appréciable (de 4 à 7 µg par 100 g), par contre la biotine et l'acide folique sont présents à l'état de traces seulement. La langue contient de 2 à 7 mg de vitamine C par 100 g.

Lard

Graisse provenant du porc. Il est dépourvu de carotène et de vitamine C. Les vitamines du complexe B ainsi que les vitamines A et D sont présentes à l'état de traces seulement.

Lécithine

C'est un complexe de lipides phosphorés combinés à des huiles végétales, des acides gras et des sucres. Ces ingrédients peuvent être présents dans des proportions et des combinaisons variables selon le degré de raffinage de la lécithine. La consistance de la lécithine varie de la forme liquide aux granules solides selon la teneur en acide gras libre et en huile. La couleur passe du jaune pâle au brun selon la source, les variations de récolte et si elle a été décolorée. Elle est sans odeur ou possède une légère odeur de noix. Le goût est léger.

Pour porter le nom de lécithine, les lipides phosphorés ou les phosphotides doivent constituer au moins 50% du contenu du mélange.

À cette concentration, on obtient un liquide brun habituellement présenté sous forme de capsules de gélatine molle ou de comprimés.

L'acétone précipite cette huile et il en résulte un solide contenant jusqu'à 98% de phosphatides. C'est la forme la plus pure de lécithine qu'il est possible d'obtenir. Elle prend alors l'aspect de granules jaunes pâles. Les phosphatides les plus utiles du point de vue nutritif sont le phosphatidyle de choline, le phosphatidyle d'inositol, et le phosphatidyle d'éthanolamine.

La lécithine est présente dans les cellules animales et végétales. Chez l'humain les concentrations les plus élevées se trouvent dans le cerveau, le foie, les reins et la moelle épinière.

Les principales sources alimentaires (en mg par 100 g) sont: le foie (850), la viande (450 - 750), la truite (580), les œufs (350), le beurre (150) dans les aliments provenant de sources animales. Les principales sources végétales sont: le blé (2 820), la fève de soja (1 480), les arachides (1 113), le maïs (953), l'avoine (650), le riz poli (580).

Les besoins quotidiens n'ont pas été établis parce que l'organisme est capable d'en produire.

Voici les rôles de la lécithine. elle agit comme agent lipotrope en gardant les graisses en suspension dans le sang; elle prévient l'infiltration graisseuse du foie et des autres organes vitaux; elle entre dans la composition des membranes graisseuses et de la couche de myéline autour des nerfs; elle fournit de la choline, nécessaire à la transmission des influx nerveux; elle fournit aussi de l'inositol.

La lécithine de source végétale est préférable puisqu'elle renferme des acides gras polyinsaturés. La lécithine d'origine animale contient plutôt des acides gras saturés ou monoinsaturés.

Les granules de lécithine pure contiennent par 5 g: 2,86 g d'acides gras polyinsaturés, 1,11 g de phosphatidyle de choline, 0,69 g de phosphatidyle d'inositol, 0,71 g de choline, 0,14 g d'inositol; ils fournissent 43 calories. L'huile de lécithine (comme dans les capsules) fournissent la moitié de ces quantités.

Aucune toxicité n'a été signalée avec la lécithine.

L'utilisation thérapeutique de la lécithine a donné de bons résultats dans la réduction de l'hypertension, la réduction des taux de cholestérol et de lipide sanguin, la prévention et la dissolution des calculs biliaires, le traitement de l'athérosclérose et de l'artériosclérose, comme traitement préventif de l'angine et après une crise cardiaque ou un accident cérébro-vasculaire, dans le traitement de la maladie d'Alzheimer ou de la démence sénile.

Légumes

Ils sont complètement dépourvus de vitamine A, mais quelques-uns sont une bonne source de carotène, un précurseur de la vitamine A. Ils fournissent un peu de vitamine E mais pas de vitamine D. La plupart contiennent, à des concentrations variables, toutes les vitamines du complexe B, exception faite de la vitamine B_{12}. Quelques légumes sont une excellente source de vitamine C. Le carotène et la vitamine E ne sont pas affectés par les différentes méthodes de cuisson, tandis que les vitamines du complexe B subissent invariablement des pertes lors de la cuisson. *Voir* chaque légume individuellement.

Légumes verts de primeur

Les légumes verts de primeur bouillis sont une bonne source de carotène, en fournissant 4,0 mg par 100 g (variation de 1 à 10 mg). Ils contiennent un peu de vitamine E, soit 1,1 mg par 100 g. Les vitamines du complexe B présentes (en mg par 100 g) sont: thiamine 0,06, riboflavine 0,20, acide nicotinique 0,8, pyridoxine 0,16, acide pantothénique 0,30. Ils sont une bonne source d'acide folique, en fournissant 110 μg par 100 g. Ils contiennent un peu de biotine (0,4 μg par 100 g). Les légumes verts de primeur sont une excellente source de vitamine C, avec un taux moyen de 30 mg par 100 g (variation de 20 à 70 mg).

Lentilles

Elles sont une bonne source de carotène et de vitamines du complexe B à l'état cru, mais l'ébullition et le concassage entraînent des pertes substantielles. Les taux de carotène sont respectivement de 60 et de 20 μg par 100 g pour les lentilles crues et cuites. Quant au complexe vitaminique B, on trouve les concentrations suivantes: thiamine (0,50, 0,11), riboflavine (0,04, 0,03), acide nicotinique (5,8, 1,6), pyridoxine (0,60, 0,11), acide pantothénique (1,36, 0,31). L'acide folique passe de 35 à 5 μg par 100 g après ébullition. La biotine n'a pas été décelée. La teneur en vitamine C est négligeable.

Leucocytes

Ou globules blancs. Ces cellules ont la propriété de phagocyter, c'est-à-dire d'englober et de détruire, en les digérant, les micro-organismes pathogènes. L'efficacité de ce moyen de défense dépend de la mobilité des leucocytes et de leur action antimicrobienne. Pour cela, les leucocytes doivent contenir une concentration suffisante de vitamine C. Les personnes ayant peu de résistance aux infections nécessiteront parfois des doses quotidiennes allant jusqu'à 3 grammes de vitamine C pour obtenir des taux adéquats.

Les lymphocytes sont des globules blancs responsables de la production des anticorps. Ces derniers neutralisent l'effet toxique des micro-organismes envahisseurs. La présence de vitamine C dans les lymphocytes est essentielle pour qu'il y ait production d'anticorps. Les enfants dont les lymphocytes sont déficients démontrent, après une dose quotidienne de 1 gramme de vitamine C, une réponse normale à la lutte contre l'infection.

Levure de bière

La variété séchée contient les vitamines suivantes (en mg par 100 g): carotène (traces), thiamine (15,6), riboflavine (4,28), acide nicotinique (37,9), pyridoxine (4,21), acide pantothénique (9,5), biotine (0,08), acide folique (2,4), vitamine C (traces). C'est une excellente source d'ARN et d'ADN, qui constituent ensemble 12% de la levure séchée.

Levure de boulangerie

La variété fraîche et concentrée contient les vitamines suivantes (en mg par 100 g): carotène (traces), thiamine (0,71), riboflavine (1,7), acide nicotinique (13,0), pyridoxine (0,6), acide folique (0,71), acide pantothénique (3,5), biotine (0,06); elle contient des traces de vitamine C et de vitamine E.

La levure séchée contient les vitamines suivantes (en mg par 100 g): carotène (traces), thiamine (2,33), riboflavine (4,0), acide nicotinique (43,0), pyridoxine (2,0), acide folique (4,0), acide pantothénique (11,0), biotine (0,2); elle contient des traces de vitamines C et E.

C'est une excellente source d'ADN et d'ARN qui constituent ensemble 12% de la levure séchée.

Limes

Le contenu vitaminique des limes est identique à celui des citrons, exception faite de la vitamine C. Les taux de vitamine C sont de 35 mg par 100 g pour le fruit et 25 mg par 100 g pour le jus fraîchement pressé.

Limonade

La limonade préparée commercialement contient du carotène, de la vitamine E, de la thiamine, de la riboflavine, de l'acide nicotinique, de la pyridoxine, de l'acide pantothénique, de l'acide folique et de la biotine à l'état de traces seulement. La vitamine C est aussi présente à l'état de traces, toutefois certaines compagnies en augmentent la valeur nutritive. La concentration de la vitamine C se situe alors entre 5 et 15 mg par 100 g.

Lipides

Terme général pour désigner tous les corps gras incluant les graisses, les huiles, les phospholipides (lécithine), le cholestérol, les triglycérides, les acides gras. *Voir* chacun de ces termes individuellement.

Liqueurs

Toutes les vitamines du complexe B, incluant la vitamine B_{12}, sont présentes mais à l'état de traces seulement. L'advocaat fournit aussi des traces de vitamine E à cause de l'œuf qu'il contient.

Litchis

La variété en conserve contient des taux réduits de vitamines du complexe B par rapport aux fruits crus. La vitamine C est diminuée considérablement. On n'y trouve que des traces de carotène et de vitamine E. Les vitamines du complexe B présentes (en mg par 100 g) dans les fruits crus et en conserve sont respectivement: thiamine (0,04, 0,03), riboflavine (0,04, 0,03), acide nicotinique (0,4, 0,3). Le taux de vitamine C des fruits crus est de 40 mg par 100 g et de 8 mg par 100 g seulement pour les fruits en conserve.

Lithiase rénale

Connue aussi sous les noms de calcul rénal, calcul urinaire, calcul néphritique ou néphrolithiase. Elle se manifeste principalement par des douleurs lombaires ou abdominales, une obstruction et une injection secondaire des voies urinaires. Plus de 90% des calculs rénaux sont composés de sels de calcium.

Le traitement et la prévention se font par l'absorption quotidienne de pyridoxine (jusqu'à 100 mg) et de magnésium (300 mg) sous forme d'acide aminé chélaté, permettant de dissoudre le calcium et de prévenir sa précipitation.

Lumbago

Affection douloureuse de la région lombaire, raideur des muscles du bas du dos. Le lumbago est soulagé à l'aide de fortes doses (jusqu'à 600 mg) de thiamine. On a aussi obtenu de bons résultats avec l'absorption quotidienne de 2 g de pantothénate de calcium.

M

Macaronis

Pâtes préparées à partir de farine de blé; les pâtes crues ou cuites à l'eau ne contiennent que des traces de vitamine E. Les macaronis sont complètement dépourvus de carotène et de vitamine C. L'extraction par l'eau de cuisson réduit considérablement les concentrations des vitamines du complexe B.

Les vitamines du complexe B présentes sont (en mg par 100 g) pour les pâtes crues et cuites respectivement: thiamine (0,14, 0,01), riboflavine (0,06, 0,01), acide nicotinique (4,8, 1,2), pyridoxine (0,06, 0,01), acide pantothénique (0,3, traces). Les taux d'acide folique sont (en μg par 100 g) de 11 et 12 respectivement pour les macaronis crus et cuits et les teneurs en biotine sont de 1 et des traces.

Maïs doux

Cru, il est une bonne source de vitamines et de carotène. La cuisson dans l'eau et la mise en conserve entraînent des pertes de vitamines hydrosolubles. Le maïs doux cru, le maïs bouilli et le maïs en conserve fournissent respectivement 240, 240 et 210 μg de carotène par 100 g et 2,4, 1,5, 1,5 mg de vitamine E par 100 g. On obtient respectivement les taux suivants pour les vitamines du complexe B (en mg par 100 g): thiamine (0,20, 0,15, 0,05), riboflavine (0,08, 0,08, 0,08), acide nicotinique (2,2, 2,1, 1,5), pyridoxine (0,19, 0,16, 0,16), acide pantothénique (0,54, 0,38, 0,22). La teneur en acide folique passe respectivement de 52 à 33 et 32 μg par 100 g après la cuisson dans l'eau et la mise en conserve. La biotine serait absente, selon toute évidence.

Mal des transports

Voir Nausée.

Malformations congénitales

Certaines sont associées à une déficience vitaminique chez la mère. Une déficience en acide pantothénique peut causer la naissance d'un mort-né, une naissance prématurée, des malformations ou un retard mental chez le bébé. Une déficience en riboflavine peut causer des malformations congénitales incluant une division du voile du palais.

On a déjà constaté un rapport entre une déficience en acide folique et une défectuosité du tube neural entraînant le spina-bifida.

Mandarines

Fraîches: la portion comestible des mandarines crues est une bonne source de carotène et de vitamine C et contient un peu de vitamines du complexe B, particulièrement de l'acide folique. Le taux de carotène est de 100 µg par 100 g. La vitamine E n'a pas été décelée. Les vitamines du complexe B présentes (en mg par 100 g) sont: thiamine 0,07, riboflavine 0,02, acide nicotinique 0,3, pyridoxine 0,07, acide pantothénique 0,20. C'est une bonne source d'acide folique (21 µg par 100 g). La biotine n'a pas été décelée. On y trouve 30 mg de vitamine C par 100 g.

En conserve, elles sont une source appréciable de vitamine C, fournissant également un peu de vitamines du complexe B et du carotène. La teneur en carotène est de 50 µg par 100 g. La vitamine E se trouve à l'état de traces seulement. Les vitamines du complexe B (en mg par 100 g) sont: thiamine 0,07, riboflavine 0,02, acide nicotinique 0,3, pyridoxine 0,03, acide pantothénique 0,15. L'acide folique se trouve dans une concentration de 8 µg par 100 g et la biotine dans une concentration de 0,8 µg par 100 g. La teneur en vitamine C est de 14 mg par 100 g.

Mangues

Les mangues représentent une très bonne source de carotène. Crues ou en conserve, les mangues mûres de couleur orange contiennent 1,2 mg de carotène par 100 g de fruit. La teneur en carotène varie suivant la couleur, une mangue verte contenant environ 120 µg de carotène par 100 g. La vitamine E n'est pas décelable. Les vitamines du complexe B sont (en mg par 100 g) respectivement pour les mangues crues et en conserve: thiamine (0,03, 0,02), riboflavine (0,04, 0,03), acide nicotinique (0,2, 0,2), acide pantothénique (0,16, 0,15). On n'a pas découvert d'acide folique ni de biotine. Les mangues sont une bonne source de vitamine C à des taux de 30 mg (variant de 10 à 180 mg) par 100 g à l'état cru et de 10 mg par 100 g dans les fruits en conserve.

Marante

Granules d'amidon provenant des rhizomes du **Maranta arundinacea**. On y note des traces de vitamine E mais une absence totale de carotène et de vitamine C. La thiamine, la riboflavine, l'acide nicotinique, la pyridoxine, l'acide pantothénique, l'acide folique et la biotine sont présents en quantités minimes.

Margarine

Dure ou molle, la margarine est enrichie des vitamines A et D et contient (en µg par 100 g): vitamine A 900, vitamine D 7,94. Elle est une bonne source de vitamine E, soit 8,0 mg par 100 g. Elle ne renferme que des traces de vitamines du complexe B et pas du tout de vitamine C.

Marinades à la moutarde

Elles contiennent seulement les vitamines suivantes (en mg par 100 g): thiamine 0,16, riboflavine 0,01, acide nicotinique 0,4. La vitamine C est présente à l'état de traces seulement.

Marinades sucrées

Elles fournissent seulement de la thiamine, de la riboflavine et de l'acide nicotinique aux taux suivants: 0,03, 0,1, et 0,3 mg par 100 g respectivement.

Marmelade

La marmelade est une source appréciable de carotène et de vitamine C, mais les autres vitamines sont présentes à l'état de traces seulement. La teneur en carotène est de 50 µg par 100 g. La marmelade contient seulement des traces de vitamine E et il en est de même pour les vitamines du complexe B, thiamine, riboflavine, acide nicotinique, pyridoxine, acide pantothénique et biotine. Le taux d'acide folique atteint 5 mg par 100 g et celui de la vitamine C 10 mg par 100 g.

Maux de dos

Par suite d'une blessure aux disques de la colonne vertébrale, on peut prévenir et soulager les maux de dos avec des doses de vitamine C de 100 mg, 3 fois par jour. Des doses de 2 000 mg par jour sont parfois requises.

Médecine orthomoléculaire

Voir Thérapie mégavitaminée.

Médicaments

Ils peuvent augmenter les besoins de certaines vitamines. Ils peuvent en outre entraver l'absorption de certaines vitamines et interférer l'utilisation et l'activation des vitamines. *Voir* chaque médicament individuellement.

Mélasse

La mélasse contient les vitamines du complexe B suivantes (en mg par 100 g): thiamine 0,03, riboflavine 0,05, acide nicotinique 10,0, pyridoxine 0,10, acide pantothénique 1,2. Elle renferme aussi de la choline (16,0 mg par 100 g) et de l'inositol (120 mg par 100 g).

Mélasse noire

La mélasse noire contient de la thiamine, de la riboflavine, de l'acide nicotinique, de la pyridoxine, de l'acide folique et de la biotine à l'état de traces seulement.

Melons

La partie comestible du **cantaloup** cru est une excellente source de carotène et fournit également une bonne quantité de vitamine C. Sa chair de couleur orange contient 2,0 mg de carotène par 100 g et 0,1 mg de vitamine E par 100 g. Les vitamines du complexe B présentes (en mg par 100 g) sont: thiamine 0,05, riboflavine 0,03, acide nicotinique 0,5, pyridoxine 0,07, acide pantothénique 0,23. Le taux d'acide folique est de 30 µg par 100 g et la biotine n'a pas été décelée. La teneur en vitamine C est de 25 mg par 100 g.

La partie comestible du **melon de miel** cru est une source moyenne de caro
tène mais procure de bonnes quantités de vitamine C. La teneur en carotène des
melons à chair verte se situe autour de 100 mg par 100 g, alors que le taux de vitamine
E est de 0,1 mg par 100 g. Les vitamines du complexe B présentes (en mg par 100 g)
sont: thiamine 0,05, riboflavine 0,03, acide nicotinique 0,5, pyridoxine 0,07 et
acide pantothénique 0,23. Le taux d'acide folique est de 30 μg par 100 g, alors que
la biotine y est absente. La teneur en vitamine C est de 25 mg par 100 g.

La partie comestible des **pastèques** ou **melons d'eau** est une faible source de
toutes les vitamines excepté la vitamine C et l'acide pantothénique. Le carotène
représente 20 μg par 100 g et la vitamine E 0,1 mg par 100 g. Les vitamines du complexe B qui s'y trouvent (en mg par 100 g) sont: thiamine 0,02, riboflavine 0,02,
acide nicotinique 0,3, pyridoxine 0,07, acide pantothénique 1,55. Ils fournissent une
petite quantité d'acide folique (3 mg par 100 g) et aucune biotine. La teneur en
vitamine C est de 5 mg par 100 g.

Mémoire

Les pertes de mémoire peuvent être le symptôme d'une déficience en thiamine. Le traitement consiste à fournir des doses adéquates (jusqu'à 50 mg par jour)
de vitamine B_1. Chez une personne âgée, on préfère utiliser la choline. *Voir*
Démence sénile. On prétend que la prise d'ARN peut améliorer la mémoire, particulièrement chez les personnes âgées.

Ménière (Syndrome de)

Maladie caractérisée par de graves vertiges périodiques, de la surdité, du tinnitus (bruit dans les oreilles), des nausées et vomissements. Un certain soulagement
peut être obtenu avec le régime suivant: thiamine (10 à 25 mg), riboflavine (10 à
25 mg), un mélange à parts égales d'acide nicotinique et de nicotinamide (100 à
200 mg), le tout pris 4 fois par jour pendant 2 semaines. Quand le soulagement est
obtenu, on réduit les doses de vitamines à des taux qui maintiennent le soulagement
et on poursuit le traitement.

Ménopause

Dans la vie d'une femme, la ménopause est la période au cours de laquelle la
sécrétion de ses hormones sexuelles femelles diminue graduellement jusqu'à cesser
totalement. Les symptômes habituels qui accompagnent la ménopause sont des
chaleurs, maux de tête, étourdissements, de la nervosité, de la dépression, un flux
menstruel très abondant, une augmentation du poids, du prurit (démangeaisons) aux
organes génitaux.

La vitamine E (100 u.i. à chaque repas) procure un certain soulagement des
chaleurs, des maux de tête et de la nervosité. La pyridoxine (50 à 100 mg par jour)
peut aider à réduire la dépression. Le calcium (200 mg) et la vitamine D (6,25 mg)
préviennent les pertes de calcium des os causées par le manque d'œstrogènes.

Menstruation

La menstruation est la détérioration mensuelle de la surface intérieure de
l'utérus conduisant à une perte de sang dans le flux menstruel.

La perte de sang est comblée par un apport approprié de fer minéral (24 mg), de vitamine C (100 mg), de vitamine E (100 u.i.), d'acide folique (25 μg) et de vitamine B_{12} (5 μg). La dépression légère qui survient avant la menstruation est souvent diminuée grâce à la pyridoxine. *Voir* Dépression. Les bioflavonoïdes (1 000 mg par jour) peuvent aider à régulariser un cycle menstruel irrégulier et soulager les douleurs menstruelles.

Méso-inositol

Inositol.

Metformine

Médicament contre le diabète, empêchant l'absorption de la vitamine B_{12}.

Méthodes de transformation des aliments

Blanchiment. Le blanchiment est nécessaire pour inactiver les enzymes qui causent la détérioration des aliments. On le fait toujours avant la congélation, le séchage et la mise en conserve. Une certaine partie des vitamines se trouve dans l'eau de blanchiment et l'étendue des pertes dépend beaucoup du temps pendant lequel le légume est laissé dans l'eau. La température doit être suffisamment élevée pour inactiver les enzymes, c'est-à-dire au moins 85 °C. Une minute est suffisante pour les pois frais, deux minutes pour les haricots tranchés et 3,5 à 7 minutes, selon la grosseur, pour les choux de Bruxelles. À des températures de 93° à 99 °C, l'oxydation peut entraîner une certaine détérioration des vitamines.

Les pertes qui surviennent pendant le blanchiment sont évaluées entre 13 et 60% pour la vitamine C, 2 à 30% pour la thiamine, 5 à 40% pour la riboflavine. Les pertes de carotène représentent moins de 1% du contenu total, mais ce chiffre ne tient pas compte des changements possibles du carotène en des formes moins actives. Les pertes dues à l'extraction dans l'eau sont amenuisées si l'eau est consommée ultérieurement. L'eau de mise en conserve des légumes contient une bonne partie des vitamines extraites des légumes, il est donc utile de ne pas jeter ce jus quand les légumes sont consommés. Il en est de même pour les viandes en conserve. Le blanchiment au four à micro-ondes est reconnu pour causer moins de dommages que la vapeur et la combinaison micro-ondes et eau chaude semble protéger le contenu en vitamines et donner un produit plus agréable au goût. Le blanchiment au gaz est censé réduire les pertes de vitamine C et de carotène. Après le blanchiment domestique, les pertes de vitamine C, de thiamine et de carotène peuvent être diminuées par un refroidissement très rapide de l'aliment. Par la suite, l'air froid est excellent pour prévenir d'autres pertes dues à l'extraction dans l'eau.

Stérilisation par la chaleur. L'oxygène étant retranché, les procédures de mise en conserve n'entraînent que des pertes minimes de vitamines. Toutefois, la thiamine est quand même perdue, particulièrement celle de la viande. Pour avoir des pertes minimales de vitamines, il est préférable de chauffer à de très hautes températures pendant une courte période de temps plutôt que de chauffer à de basses températures pendant une longue période.

Grâce à la protection fournie par un milieu acide lors de la stérilisation par la chaleur, la mise en conserve des viandes et des fruits occasionne moins de pertes vitaminiques que celle des légumes. La stérilisation des viandes par la chaleur ne cause que des pertes mineures de riboflavine et d'acide nicotinique. La vitamine demeure stable une fois terminées la stérilisation et la mise en conserve. Après 2 ans d'entreposage, les pertes de vitamine C des légumes en conserve ne sont que de 15%.

Congélation. La congélation constitue une des meilleures méthodes de conservation des aliments puisque les produits frais sont mis à congeler au moment où leur contenu vitaminique est le plus élevé. Les viandes congelées retiennent la plupart de leurs vitamines. Par contre, les jus de décongélation peuvent receler des quantités considérables de vitamines solubles dans l'eau. Les légumes doivent être blanchis avant d'être congelés de sorte que les pertes vitaminiques soient les mêmes que celles mentionnées précédemment au sujet du blanchiment des aliments. Les jus de décongélation des légumes, comme ceux des viandes, contiennent des vitamines. Il est donc utile de consommer ces liquides en même temps que les légumes. Les vitamines les plus affectées par la congélation sont la pyridoxine, l'acide pantothénique et la vitamine E.

Irradiation. Le séchage à froid des aliments avant le traitement par radiation ionisée réduit les pertes de vitamines causées par l'irradiation. Les vitamines les plus atteintes sont la thiamine, la riboflavine, la vitamine A et la vitamine E. La moins sensible au traitement est l'acide nicotinique.

Déshydratation à basse température (séchage à froid). Le procédé, malheureusement très peu répandu, est probablement le meilleur moyen de retenir les vitamines des aliments destinés à la conservation.

Déshydratation à l'air chaud. Cette méthode occasionne des pertes variables des différentes vitamines. Dans les conditions idéales, les légumes qui subissent ce traitement perdent de 10 à 15% de leur teneur en vitamine C.

Cuisson sous pression. La cuisson sous pression est plus avantageuse que la cuisson à l'eau conventionnelle grâce au peu de temps requis et à la petite quantité d'eau utilisée. La principale cause de perte de vitamines est l'extraction dans l'eau plutôt que la chaleur. En conséquence, on peut limiter les pertes en contrôlant la quantité d'eau utilisée plutôt que le temps de cuisson. Il a été démontré que les pertes de thiamine qui surviennent lors de la cuisson sous pression de plusieurs légumes sont de l'ordre de 25 à 50%, celles des légumes cuits à la vapeur, de 50%, et celles des légumes bouillis de 75 à 80%. Les pertes de vitamine C sont comparables d'une méthode à l'autre mais varient selon les légumes.

Cuisson au four à micro-ondes. Pour effectuer une cuisson efficace, le four à micro-ondes utilise une radiation électromagnétique à haute énergie, une fréquence de 2 450 MHz et une longueur d'onde de 12 cm. Les micro-ondes produisent une chaleur qui traverse la masse de l'aliment au lieu d'attaquer la surface comme le fait un four conventionnel. Les pertes de vitamines qu'entraîne la cuisson aux micro-ondes peuvent être inférieures ou égales mais jamais supérieures à celles dues aux méthodes de cuisson conventionnelles.

Les principes généraux de conservation du contenu vitaminique des aliments lors de la cuisson domestique sont les suivants:

1. Employer des aliments frais plutôt qu'entreposés.
2. Cuire dans le moins d'eau possible.

3. Cuire à haute température pendant une courte période plutôt que long-temps à basse température.

4. Consommer les aliments le plus vite possible après la cuisson, sauf si on les surgèle.

5. Ne pas oublier que pour les aliments congelés, la cuisson constitue la seconde étape de transformation; par conséquent, tout l'aliment doit être utilisé, c'est-à-dire avec les jus de décongélation et les jus de cuisson. *Voir également* Œufs, Poisson, Viandes, Lait et Légumes.

Méthotrexate

Médicament contre le cancer, immuno-suppresseur, le méthotrexate entrave l'utilisation de l'acide folique.

Migraine

Genre particulier de mal de tête causé par la constriction et la dilatation suc-cessives des vaisseaux sanguins, occasionnant des douleurs pulsatives. Les cas graves de migraine donnent lieu à des nausées, à des vomissements et à des troubles visuels.

Le traitement vitaminé des migraines comprend l'ensemble des vitamines du complexe B (dose de 10 mg) trois fois par jour avec de la nicotinamide (100 mg), du pantothénate de calcium (100 mg) et de la pyridoxine (50 mg) également trois fois par jour. Si les crises s'espacent, on diminue la dose graduellement et on pour-suit le traitement à une dose qui maintient le soulagement.

Mincemeat

Ce sont les fruits séchés et les noix qui fournissent la plus grande partie des vitamines contenues dans le mincemeat. La teneur en carotène est de 10 µg par 100 g. Les vitamines du complexe B qui s'y trouvent (en mg par 100 g) sont: thia-mine 0,03, riboflavine 0,02, acide nicotinique 0,3, pyridoxine 0,10 et acide panto-thénique 0,03. On n'y trouve que des traces d'acide folique, de biotine et de vitamine C.

Moelle

La moelle contient peu de vitamines du complexe B; de plus la teneur baisse encore si elle est bouillie. Elle fournit 30 mg de carotène par 100 g et seulement des traces de vitamine E. Elle contient des taux négligeables de thiamine et de ribofla-vine. Les autres vitamines du complexe B représentent (en mg par 100 g) respec-tivement pour la moelle crue et bouillie: acide nicotinique (0,4, 0,3), pyridoxine (0,06, 0,03), acide pantothénique (0,10, 0,07). La teneur en acide folique passe de 13 à 6 µg par 100 g si la moelle est bouillie.

Mononucléose infectieuse

Connue aussi sous le nom de fièvre glandulaire. Causée par le virus Epstein-Barr, un virus de type herpès, la mononucléose infectieuse est caractérisée par une fièvre élevée, un mal de gorge et une enflure des glanglions lymphatiques.

Les suppléments vitaminiques devraient inclure de fortes doses de vitamine C (jusqu'à 1 500 mg par jour) et de vitamines du complexe B, ainsi que 1 500 mg quo-tidiennement de L-Lysine, un acide aminé.

Muqueuses

Surfaces humides du corps comprenant le nez, les yeux, la bouche, le système respiratoire, le système digestif, l'anus et l'appareil génital.

La vitamine A protège toutes les muqueuses et maintient leur bonne condition. Une déficience de cette vitamine produit l'assèchement des membranes, qui conduit à l'ulcération et au risque d'infection. *Voir* Kératinisation.

L'inflammation peut être due à une déficience en acide nicotinique et en riboflavine. Malgré la protection des vitamines A et E, les membranes peuvent être détruites par la pollution de l'air. Le tabagisme produit l'irritation des muqueuses du système respiratoire, normalement protégées par le bêta-carotène.

Mûres

Les mûres crues procurent une bonne quantité de vitamine C mais uniquement de petites quantités des vitamines du complexe B. On n'y trouve que des traces de carotène et de vitamine E. Les vitamines du complexe B qui s'y trouvent (en mg par 100 g) sont: thiamine 0,05, riboflavine 0,04, acide nicotinique 0,6, pyridoxine 0,05, acide pantothénique 0,25. Le taux de biotine est de 0,4 μg par 100 g mais on n'a décelé aucune trace d'acide folique. La teneur en vitamine C est de 10 mg par 100 g.

Mûres sauvages

On note une légère perte de vitamines lorsque les fruits sont préparés en compote, avec ou sans sucre. Les fruits frais ou cuits contiennent respectivement 100 et 85 μg de carotène ainsi que 12,7 et 2,7 mg de vitamine E par 100 g. Les mûres fraîches et les mûres préparées en compote fournissent respectivement les vitamines du complexe B suivantes (en mg par 100 g): thiamine (0,03, 0,02), riboflavine (0,04, 0,03), acide nicotinique (0,5, 0,5). Les taux de biotine sont de 0,4 et 0,3 μg par 100 g respectivement. L'acide folique n'a pas été décelé. La teneur en vitamine C est de 20 et 14 mg par 100 g.

Muscles

Afin de fournir une performance maximale, les muscles ont besoin d'un approvisionnement sanguin suffisant de même que d'une conversion efficace des substances nutritives en énergie. Un apport quotidien de 400 u.i. de vitamine E est nécessaire au bon fonctionnement des vaisseaux sanguins. Un taux de 500 mg de vitamine C est essentiel à la production de carnitine, liée à l'énergie musculaire. *Voir* Carnitine.

Myéline

Gaine de nature graisseuse qui recouvre les nerfs et la moelle épinière en jouant le rôle d'un isolant. Elle est composée de cholestérol, d'acides gras polyinsaturés (AGPI) et de choline phosphatidyle formant un complexe avec un lipide appelé sphingosine. La dégénérescence de la myéline est une des causes de la sclérose en plaques. La vitamine B_{12} et les AGPI sont essentiels au bon maintien de la gaine de myéline.

Myo-inositol

Inositol.

Myrtilles

Dans le fruit cru, le taux de carotène est de 130 μg par 100 g, mais aucune vitamine E n'est détectée. Les vitamines du complexe B présentes (en mg par 100 g) sont: thiamine 0,02, riboflavine 0,02, acide nicotinique 0,5, pyridoxine 0,06, acide pantothénique 0,16. Le taux d'acide folique est de 6 μg par 100 g, mais la biotine est absente. C'est une excellente source de vitamine C, 22 mg par 100 g (variant entre 10 et 44 mg).

N

Nausée

Sentiment d'inconfort ressenti dans le région de l'estomac, accompagné d'une certaine répulsion face aux aliments et d'une tendance à vomir. Elle est souvent un effet secondaire d'un médicament.

Vomissements matinaux de la grossesse.

Nausées des premiers mois de la grossesse; le traitement consiste en 25 mg de pyridoxine avec chaque repas.

Mal des transports.

Nausée associée à différents modes de transport; le traitement consiste en 25 mg de pyridoxine et 160 mg de gingembre avant et pendant le voyage, si le besoin en est ressenti. La moitié de la dose est recommandée pour les enfants.

Navet

Il est complètement dépourvu de carotène et de vitamine E. Les vitamines du complexe B présentes (en mg par 100 g) dans le légume cru et bouilli sont respectivement: thiamine (0,04, 0,03), riboflavine (0,5, 0,04), acide nicotinique (0,8, 0,6), pyridoxine (0,11, 0,06), acide pantothénique (0,20, 0,14). Les taux d'acide folique sont de 20 et 10 µg par 100 g respectivement. La biotine est présente à l'état de traces. C'est une bonne source de vitamine C car il en fournit respectivement 25 et 17 mg par 100 g.

Nectarines

Une portion de nectarines crues fournit des quantités appréciables de carotène et de vitamine C. On n'a pas décelé de vitamine E, mais la teneur en carotène est de 500 mg par 100 g. Les vitamines du complexe B sont présentes aux concentrations suivantes (en mg par 100 g): thiamine 0,02, riboflavine 0,05, acide nicotinique 1,0, pyridoxine 0,02, acide pantothénique 0,15. Le taux d'acide folique est de 5 µg par 100 g et la teneur en vitamine C, de 8 mg par 100 g.

Néomycine

Antibiotique qui entrave l'absorption de la vitamine D.

Névralgie essentielle du trijumeau

Connue aussi sous le nom de névralgie faciale, elle se caractérise par des accès subits de douleur dans le visage, de courte durée et atrocement aigus. La névralgie a été soulagée avec des doses importantes de thiamine (50 à 600 mg quotidiennement).

Névrite

Terme général utilisé pour décrire un symptôme plus qu'une maladie, caractérisée par la dégénérescence et l'inflammation d'un ou de plusieurs nerfs.

La névrite optique est l'inflammation du nerf optique.

La névrite périphérique affecte simultanément plusieurs nerfs, habituellement ceux des membres. Connue également sous le nom de polynévrite, elle est causée par une déficience en thiamine, le diabète, l'alcool, l'empoisonnement au métal lourd.

Traitement: *voir* Système nerveux.

Niacinamide

Connue aussi sous le nom de nicotinamide, une forme active de l'acide nicotinique.

Niacine

Membre du complexe vitaminique B, la niacine, appelée aussi acide nicotinique, est une vitamine hydrosoluble. On la trouve également dans les suppléments vitaminiques sous le nom de nicotinamide (synonyme de niacinamide), sa forme active dans l'organisme. Également connue autrefois sous les vocables de vitamine B_3 (État-Unis) et vitamine B_5 (Europe), encore couramment appelée vitamine B_3 ou vitamine PP ou encore facteur PP (protecteur contre la pellagre). L'acide nicotinique est connu depuis 1867, mais c'est seulement en 1937 que le Dr Conrad Elvehjem démontra ses propriétés vitaminiques.

Principales sources (en mg par 100 g)		Destruction par
Extrait de levure	67,0	Cuisson à l'eau
Levure de bière séchée	37,9	Pertes aussi dans l'eau de
Son de blé	32,6	décongélation des aliments congelés
Noix	21,3	Dans les autres cas, très stable
Foie de porc	19,4	
Poulet	11,6	**Fonctions**
Farine de soja	10,6	Agit comme les coenzymes NAD
Viande	9,5 à 10,4	(nicotinamide adénine dinucléotide
Poissons gras	10,4	phosphate) dans l'oxydation des
Grains de blé	8,1	tissus
Fromage	6,2	Production d'énergie à partir des
Fruits séchés	5,6	hydrates de carbone, des graisses et
Pain de grains entiers	5,6	des protéines
Poissons blancs	4,9	Maintien en santé de la peau, des

Riz brun	4,7
Germe de blé	4,2
Flocons d'avoine	4,1
Œufs	3,7
Légumineuses	3,4

nerfs, du cerveau, de la langue et du système digestif

1 mg d'acide nicotinique est produit dans l'organisme à partir de 60 mg d'un acide aminé, le tryptophane

Causes de déficience

Alcool
Médicaments contre la leucémie

Résultats d'une déficience

Pellagre: éruptions cutanées
   peau sèche et rude
   rides
   perte d'appétit
   nausées et vomissements
   inflammation des voies
   digestives
   insomnie
   irritabilité
   stress
   dépression

Symptômes de toxicité

Niacinamide (plus de 3 g par jour):
dépression
mauvais fonctionnement du foie
Niacine: rougeurs au visage
   sensation de chaleur
   mal de tête lancinant
   peau sèche
   crampes abdominales
   diarrhée
   nausées

Symptômes de déficience

Dermatite
Diarrhée
Démence

Utilisations thérapeutiques

Schizophrénie chez les enfants
Sevrage des alcooliques et des fumeurs
Traitement de l'arthrite
Réduction du cholestérol sanguin (niacine seulement)

À éviter

Doses élevées durant la grossesse (les 2 vitamines)
Doses élevées de niacine en présence d'ulcères gastriques ou duodénaux

Apport quotidien recommandé

5 mg (moins d'un an)
19 mg (17 ans)
18 mg (homme adulte)
15 mg (femme adulte)
18 mg (grossesse)
21 mg (allaitement)

Nicotinamide

Forme métaboliquement active de l'acide nicotinique.

Nitrates

Voir Nitrosamines.

Nitrites

Voir Nitrosamines.

Nitrofurantoïne

Elle est utilisée contre les infections urinaires. Elle entrave l'utilisation de l'acide folique.

Nitrosamines

Substances toxiques associées à certaines formes de cancer et constituées de façon rapide dans les voies digestives à partir des amines et des nitrites se trouvant dans les aliments, médicaments, cosmétiques et dans le milieu ambiant. Dérivés des nitrates, les nitrites sont employés à grande échelle comme agents de conservation alimentaire. La production de nitrosamines est vraisemblablement favorisée dans un estomac non acide.

La vitamine C neutralise la substance préformée et empêche la formation de nitrosamines. En conséquence, on préconise l'apport de vitamine C à chaque repas.

Noisettes

Connues aussi sous le nom d'avelines, les amandes de noisettes sont une excellente source de vitamines E et B. La concentration de la vitamine E est de 22,5 mg par 100 g. Les vitamines du complexe B présentes (en mg par 100 g) sont: thiamine 0,40, pas de riboflavine, acide nicotinique 3,1, pyridoxine 0,55, acide pantothénique 1,15. Le taux d'acide folique est de 72 µg par 100 g. Aucune trace de biotine n'a été détectée. La vitamine C est présente à l'état de traces seulement.

Noix

Aucune espèce de noix ne contient de carotène et les noix mûres contiennent très peu de vitamine C. Elles fournissent par contre des quantités appréciables de vitamine E des deux types, alpha-tocophérol et gamma-tocophérol. Les noix du Brésil, les châtaignes, les arachides et les noix de Grenoble contiennent principalement du gamma-tocophérol.

Toutes les sortes de noix ont une bonne teneur en vitamines du complexe B. *Voir* chacun des termes individuels. Les concentrations mentionnées correspondent à la quantité totale de tocophérols présents.

Noix de Barcelone

Elles fournissent seulement de la thiamine et de l'acide nicotinique aux concentrations de 0,11 mg et 3,1 mg par 100 g respectivement. La vitamine C est présente à l'état de traces.

Noix du Brésil

Les noix du Brésil sont une excellente source des vitamines B et E. Le taux de vitamine E est de 17,5 mg par 100 g. Les vitamines du complexe B présentes (en mg par 100 g) sont: thiamine 1,00, riboflavine 0,12, acide nicotinique 4,2, pyridoxine 0,17, acide pantothénique 0,23. L'acide folique et la biotine sont virtuellement absents. On trouve la vitamine C à l'état de traces seulement.

Noix de cajou

Excellente source de carotène (60 μg par 100 g). La teneur en vitamine E est de 2,2 mg par 100 g. Les vitamines du complexe B présentes (en mg par 100 g) sont: thiamine 0,43, riboflavine 0,25, acide nicotinique 1,8. Aucune autre vitamine n'a été décelée.

Noix de coco

Elle fournit moins de vitamines E et B que les autres noix, mais elle contient un peu de vitamine C. La noix de coco déshydratée est plus riche en vitamines que la portion comestible fraîche, mis à part les vitamines E et C, qui sont absentes dans la noix de coco déshydratée. Les vitamines du complexe B présentes (en mg par 100 g) sont pour la noix de coco fraîche et déshydratée respectivement: thiamine (0,03, 0,06), riboflavine (0,02, 0,04), acide nicotinique (1,0, 1,8), pyridoxine (0,04, 0,09), acide pantothénique (0,20, 0,31). Les taux d'acide folique sont de 26 et 54 μg par 100 g. La vitamine C présente dans la noix de coco fraîche est de 2 mg par 100 g.

Le lait de coco contient la plupart des vitamines présentes dans la partie comestible de la noix de coco mais en quantité minime. La vitamine E est présente à l'état de traces. Les vitamines du complexe B présentes (en mg par 100 g) sont: des traces de thiamine et de riboflavine, acide nicotinique 0,2, pyridoxine 0,03, acide pantothénique 0,05. L'acide folique et la biotine n'ont pas été décelés. La concentration de la vitamine C est de 2 mg par 100 g.

Noix de Grenoble

Elles sont une bonne source du complexe vitaminique B et de vitamine E. La concentration de la vitamine E est de 18,8 mg par 100 g. Les vitamines du complexe B (en mg par 100 g) sont: thiamine 0,73, acide pantothénique 0,9. Les noix fournissent une bonne quantité d'acide folique (66 μg par 100 g). La teneur en biotine est de 2,0 μg par 100 g. Les noix de Grenoble mûries à point contiennent seulement des traces de vitamine C, tandis que les noix non mûries sont une excellente source de vitamine C, fournissant 1 200 - 1 300 mg par 100 g.

Noix de pécan

Elles représentent une bonne source de carotène avec 80 μg par 100 g; leur taux de vitamine E s'élève à 1,5 mg par 100 g et celui de la vitamine C à 2 mg par 100 g. De plus, elles contiennent des vitamines du complexe B aux concentrations suivantes (en mg par 100 g): thiamine 0,86, riboflavine 0,13, acide nicotinique 0,9, pyridoxine 0,19.

Noix de pin

Le taux de carotène est de 18 μg par 100 g. Les vitamines du complexe B présentes (en mg par 100 g) sont: thiamine 1,28, riboflavine 0,23, acide nicotinique 4,5. Les autres vitamines n'ont pas été mesurées.

Odorat

Une carence en vitamine A peut réduire l'odorat. Des injections intra-musculaires de fortes doses de vitamine A aideraient à restaurer ce sens.

Œdème

Plus un symptôme qu'une maladie comme telle, l'œdème se caractérise par de l'enflure due à une rétention anormale et excessive d'eau par l'organisme. Il semble que de fortes doses de certaines vitamines ont un effet diurétique et favorisent donc l'élimination du surplus d'eau. Ces vitamines sont la vitamine C à des taux de 1 g ou plus, la vitamine E à plus de 500 u.i. et la pyridoxine à 200 mg ou plus. Elles ne sont toutefois efficaces que dans le cas d'œdème léger comme dans le syndrome prémenstruel. La plupart des cas plus graves doivent être traités à l'aide de médicaments plus puissants (extraits de plantes et produits pharmaceutiques).

Œufs

Ils sont une source moyenne de toutes les vitamines, exception faite de la vitamine C. Les œufs entiers crus fournissent (en mg par 100 g): vitamine A 0,14, des traces de carotène, thiamine 0,09, riboflavine 0,47, acide nicotinique 3,68, pyridoxine 0,11, acide folique 0,025, acide pantothénique 1,8, biotine 0,025, vitamine B_{12} 0,0017, vitamine E 1,6. Le blanc d'œuf cru est complètement dépourvu de vitamines liposolubles.

Les pourcentages de pertes vitaminiques lors de la cuisson des œufs sont présentés dans le tableau suivant.

Tableau 8. **Pourcentages de pertes vitaminiques des œufs par la cuisson**

	Thiamine	Riboflavine	Pyridoxine	Ac. folique	Ac. panto-thénique
Bouillis	10	5	10	10	10
Frits	20	10	20	30	20
Pochés	20	20	20	35	20
Omelette	5	20	15	30	15
Brouillés	5	20	15	30	15

Œufs de poisson

Les œufs de poisson sont une très bonne source de vitamines. Les concentrations des vitamines A et D sont de 140 μg et de 2,0 μg par 100 g respectivement. Ils sont une bonne source de vitamine E, en fournissant 6,9 mg par 100 g. Les vitamines du complexe B présentes (en mg par 100 g) sont: thiamine 1,5, riboflavine 1,0, acide nicotinique 6,0, pyridoxine 0,32, acide pantothénique 3,0. C'est une excellente source de vitamine B_{12}. On en trouve 10 μg par 100 g. Le taux de biotine est de 15 μg par 100 g. Les œufs de poisson sont, parmi les fruits de mer, une des meilleures sources de vitamine C, en fournissant 30 mg par 100 g.

La teneur vitaminique de la *laitance* est moins importante. Les vitamines liposolubles ne sont pas décelées. Les vitamines du complexe B présentes (en mg par 100 g) sont: thiamine 0,20, riboflavine 0,50, acide nicotinique 4,5, acide pantothénique 0,49. Le taux de vitamine B_{12} est de 5 μg par 100 g. La concentration de la vitamine C est de 5 mg par 100 g seulement.

Oignons

Ils ne contiennent pas de carotène et seulement des traces de vitamine E. Cuits à l'eau, les oignons perdent une partie du peu de vitamines du complexe B qu'ils recèlent. Ces taux sont (en mg par 100 g) pour les oignons crus et cuits à l'eau respectivement: thiamine (0,03, 0,02), riboflavine (0,05, 0,04), acide nicotinique (0,4, 0,2), pyridoxine (0,10, 0,06), acide pantothénique (0,14, 0,10) et en μg par 100 g, acide folique 16,8 et biotine (0,9, 0,6). La cuisson à l'eau affecte également la teneur en vitamine C, qui diminue de 10 mg à 6 mg par 100 g. La friture détruit presque complètement les vitamines du complexe B et la vitamine C; seul l'acide nicotinique conserve un taux de 0,4 mg par 100 g. *Voir* également Oignon vert.

Oignon vert

Aussi appelé ciboule, l'oignon vert cru contient seulement des traces de carotène et de vitamine E. C'est une source médiocre de vitamines du complexe B, mis à part l'acide folique. On y trouve les vitamines suivantes (en mg par 100 g): thiamine 0,03, riboflavine 0,05, acide nicotinique 0,4, pyridoxine 0,10, acide pantothénique 0,14. Le taux d'acide folique est de 40 μg par 100 g, tandis que celui de la biotine est de 0,9 μg seulement. C'est une bonne source de vitamine C; il en fournit en moyenne 25 mg par 100 g.

Olives

Les olives vertes fournissent 18 μg de carotène par 100 g, alors que les olives mûres, c'est-à-dire noires, en fournissent 50 μg par 100 g. Totalement dépourvues de vitamine C, elles contiennent des traces de thiamine, de riboflavine, d'acide nicotinique et de biotine. La teneur en pyridoxine et en acide pantothénique est de 0,02 mg par 100 g.

Oranges

Les oranges crues (partie comestible) contiennent des quantités plus considérables de vitamines hydrosolubles que le jus d'orange fraîchement pressé.

Le taux de vitamine E passe de l'état de traces dans le jus frais à 0,02 mg par 100 g dans les oranges crues. Les vitamines du complexe B qui s'y trouvent sont (en μg par 100 g) pour les oranges crues et le jus frais respectivement: thiamine (0,10, 0,08), riboflavine (0,03, 0,02), acide nicotinique (0,3, 0,3), pyridoxine (0,06, 0,04), acide pantothénique (1,0, 0,8). Les deux produits sont des sources appréciables d'acide folique, avec 37 μg par 100 g, et de biotine, avec 1,0 et 0,8 μg par 100 g dans le fruit et le jus respectivement. La teneur en vitamine C est identique dans les deux cas, soit 50 mg par 100 ml et varie souvent de 40 à 60 mg.

Le **jus congelé reconstitué** possède la même teneur vitaminique que le jus fraîchement pressé.

Orge

L'orge perlé à l'état cru est complètement dépourvu de carotène. La teneur en vitamine E est de 0,5 mg par 100 g. Après ébullition, la vitamine E est réduite à l'état de traces et la concentration de toutes les vitamines présentes est diminuée, en bonne partie à cause de l'extraction par l'eau. Les concentrations des vitamines du complexe B (en mg par 100 g) pour l'orge perlé cru et cuit sont respectivement les suivantes: thiamine (0,12, traces), riboflavine (0,05, traces), acide nicotinique (4,8, 1,7), pyridoxine (0,22, traces), acide pantothénique (0,5, 0,2). Les taux d'acide folique (en μg par 100 g) sont de 20 et 3 respectivement. La biotine est présente à l'état de traces seulement et la vitamine C est complètement absente.

Os

Le développement normal et le maintien en bonne santé des os nécessitent un apport quotidien minimal de 250 u.i. de vitamine D et de 2 500 u.i. de vitamine A.

Les douleurs osseuses du cancer ont été soulagées avec de fortes doses de vitamine C (jusqu'à 10 g quotidiennement).

Ostéomalacie

Maladie caractérisée par le ramollissement généralisé des os et la diminution du taux de calcium dans l'organisme, due essentiellement chez l'adulte à une déficience en vitamine D. *Voir* Vitamine D.

Ostéoporose

L'ostéoporose est due à une perte de calcium non remplaçable et se caractérise par le développement de rayons poreux dans les os. Elle est principalement associée à la période postménopause et à l'utilisation prolongée de corticostéroïdes.

Les symptômes incluent des douleurs osseuses et des fractures fréquentes. Le traitement consiste en de fortes doses de calcium (1 000 mg par jour) et de fluorure, de même qu'en un apport suffisant de vitamine D (4 000 u.i.) pour en assurer l'absorption, **ou alors** avec une thérapie de remplacement d'hormones dans le cas d'ostéoporose postménopause.

Otosclérose

Voir Surdité.

Oxygène

Les bébés prématurés placés sous des tentes d'oxygène peuvent occasionnellement avoir des problèmes aux yeux (fibroplasie rétrolentale) causés par l'oxygène. L'injection de vitamine E prévient l'apparition des ces problèmes.

P

Paba

Acide para-aminobenzoïque.

Pain

Le pain de blé entier fournit moins de vitamines B que la farine de blé entier à cause des pertes qui se produisent lors de la cuisson et de la présence d'un surplus d'eau. On trouve (en mg par 100 g): thiamine 0,26, riboflavine 0,06, acide nicotinique 5,6, pyridoxine 0,14, acide folique 0,039, acide pantothénique 0,6, biotine 0,006, vitamine E 0,2.

Le pain blanc contient moins de vitamines B que le pain de blé entier et fournit (en mg par 100 g): thiaminc 0,18, riboflavine 0,03, acide nicotinique 3,0, pyridoxine 0,04, acide folique 0,027, acide pantothénique 0,3, biotine 0,001, des traces de vitamine E.

Pamplemousse

Bonne source de vitamine C et de quelques vitamines du complexe B. Le carotène est présent à l'état de traces seulement. Les fruits frais contiennent 0,3 mg par 100 g de vitamine E, tandis que les pamplemousses en conserve voient la concentration de vitamine E réduite à l'état de traces. On trouve respectivement dans la partie comestible du fruit frais et dans les pamplemousses en conserve les vitamines du complexe B suivantes (en mg par 100 g): thiamine (0,05, 0,04), riboflavine (0,02, 0,01), acide nicotinique (0,3, 0,3), pyridoxine (0,03, 0,02), acide pantothénique (0,28, 0,12). Les taux d'acide folique sont respectivement de 12 et de 4 µg par 100 g. La biotine est stable à 1,0 µg par 100 g. La teneur en vitamine C se situe autour de 40 mg (35 - 45 mg) par 100 g pour le fruit frais et de 30 mg par 100 g pour les pamplemousses en conserve.

Panais

Le panais bouilli perd toute sa teneur en vitamines hydrosolubles. Il ne contient que des traces de carotène et une concentration de vitamine E de 1,0 mg par

100 g. Les taux de vitamines du complexe B sont (en mg par 100 g) pour les panais crus et cuits respectivement: thiamine (0,10, 0,07), riboflavine (0,08, 0,06), acide nicotinique (1,3, 0,9), pyridoxine (0,10, 0,06) et acide pantothénique (0,50, 0,35). La cuisson à l'eau fait baisser le taux d'acide folique de 67 à 30 µg par 100 g, de même que la teneur en vitamine C, qui passe de 15 à 10 mg par 100 g. On n'a décelé que des traces de biotine.

Pantothénate de calcium

Acide pantothénique.

Papaye

Aussi connue sous le nom de papaw. Dépourvue de vitamine E, elle est par contre une excellente source de carotène. Les fruits en conserve en fournissent 500 µg par 100 g. Les vitamines du complexe B s'y trouvent aux concentrations suivantes (en mg par 100 g): thiamine 0,02, riboflavine 0,02, acide nicotinique 0,2 et acide pantothénique 0,2. La teneur en vitamine C s'élève à 15 mg par 100 g de fruit.

Paresthésie

Caractérisée par des sensations de picotement et parfois d'insensibilité de la peau; symptôme de la sclérose en plaques, de maladies nerveuses et de maladies des vaisseaux sanguins. La pyridoxine, à raison de 50 mg par jour, apporte un soulagement efficace.

Parkinson (Maladie de)

La maladie de Parkinson est une maladie chronique du système nerveux central caractérisée par la lenteur et la difficulté d'accomplir des mouvements volontaires, la raideur des muscles et des tremblements. Maladie aussi connue sous les noms de parkinsonisme et paralysie tremblante.

Le médicament Levodopa, employé au soulagement des symptômes, est neutralisé par la pyridoxine. Il **ne** faut donc **pas** prendre de suppléments de cette vitamine pendant le traitement. Par ailleurs, les effets secondaires dus à l'administration de Levodopa peuvent être réduits par l'ingestion de vitamine C (500 à 1 000 mg par jour).

Patates douces

La variété jaune est une excellente source de carotène; toutefois la variété blanche n'en contient que des traces. La cuisson dans l'eau n'affecte pas la vitamine E ni le carotène, mais diminue la teneur en vitamines du complexe B. La teneur en carotène est habituellement de 4,0 mg par 100 g, quoiqu'on peut en trouver jusqu'à 12,0 mg par 100 g dans certaines variétés. La concentration de la vitamine E est de 4,0 mg par 100 g. Les patates douces crues et cuites dans l'eau fournissent respectivement (en mg par 100 g) les vitamines suivantes: thiamine (0,10, 0,08), riboflavine (0,06, 0,04), acide nicotinique (1,2, 0,9), pyridoxine (0,22, 0,13), acide pantothénique (0,94, 0,66). Les taux d'acide folique sont de 52 et 25 µg par 100 g respectivement. Aucune trace de biotine n'a été décelée. C'est une bonne source de vitamine C; elles en fournissent 25 et 15 mg par 100 g respectivement.

Pâte d'amandes

Les ingrédients qui composent la pâte d'amandes, amandes, jus de citron et œufs, sont les fournisseurs des vitamines qui s'y trouvent. La teneur en vitamine A est de 10 µg par 100 g, mais le carotène y est absent. La teneur en vitamine D est de 0,13 µg par 100 g. La pâte d'amandes est une bonne source de vitamine E avec 9,1 mg par 100 g. Les vitamines du complexe B (en mg par 100 g) sont: thiamine 0,12, riboflavine 0,45, acide nicotinique 2,4, pyridoxine 0,06, acide pantothénique 0,35. L'acide folique s'y trouve à 45 µg par 100 g, la biotine à 2 µg par 100 g et la vitamine C à 2 mg par 100 g.

Peau sèche

Elle est traitée par un apport plus élevé de vitamine A (7 500 u.i. quotidiennement), d'acides gras polyinsaturés présents dans l'huile de carthame, l'huile de germe de blé ou l'huile de primevère (jusqu'à 3 g par jour) et de lécithine (jusqu'à 6 capsules quotidiennement). Des applications locales de crème à base de vitamine E peuvent aider.

Pêches

Les pêches crues sont une excellente source de carotène. Elles contiennent une quantité appréciable de vitamines du complexe B et de vitamine C. Les pêches en conserve possèdent de moins grandes concentrations de toutes les vitamines comparativement aux pêches fraîches. Les teneurs en carotène des pêches fraîches et en conserve sont respectivement (en µg par 100 g): 500 et 250. La vitamine E n'est pas décelable, alors que les vitamines du complexe B présentent les taux suivants (en mg par 100 g) pour les pêches fraîches et en conserve respectivement: thiamine (0,02, 0,01), riboflavine (0,05, 0,02), acide nicotinique (1,0, 0,6), pyridoxine (0,02, 0,02), acide pantothénique (0,15, 0,05). Le taux d'acide folique s'élève à 3 µg par 100 g pour les deux formes de pêches, de même que celui de la biotine, qui se situe à 0,2 µg par 100 g. La teneur en vitamine C baisse de 8 mg par 100 g à 4 mg par 100 g lors de la mise en conserve.

Pêches séchées

Elles contiennent une concentration plus élevée de vitamines que les fruits frais, exception faite de la vitamine C. Toutefois, la cuisson, avec ou sans sucre, entraîne une certaine perte de vitamines. Le taux de carotène est élevé, 2 mg par 100 g; après cuisson sans sucre et avec sucre, les concentrations diminuent à 740 et 710 µg par 100 g respectivement. La vitamine E n'a pu être décelée. Les vitamines du complexe B présentes (en mg par 100 g) sont pour les pêches séchées crues, après cuisson sans sucre et avec sucre, respectivement: thiamine à l'état de traces seulement, riboflavine (0,19, 0,06, 0,06), acide nicotinique (5,6, 2,1, 2,0), pyridoxine (0,10, 0,03, 0,03), acide pantothénique (0,30, 0,10, 0,10). Les taux d'acide folique sont respectivement de 14,2 et 2 µg par 100 g. La biotine n'a pas été décelée et la vitamine C est présente à l'état de traces seulement dans les pêches séchées.

Pellagre

Maladie spécifiquement associée à une déficience d'acide nicotinique et caractérisée par des affections de la peau, des muqueuses, du système nerveux central et des voies gastro-intestinales. Les symptômes peuvent apparaître seuls ou combinés. Le traitement consiste à prendre 300 à 1 000 mg de nicotinamide par jour, en doses fractionnées. La même maladie se retrouve chez les chiens sous le nom de langue noire canine.

Pénicillamine

Médicament employé dans le traitement de l'arthrite, la pénicillamine augmente l'excrétion de pyridoxine.

Persil

Le persil cru est une excellente source de carotène, en procurant une moyenne de 7,0 mg par 100 g. La teneur en vitamine E est de 1,8 mg par 100 g, alors que les vitamines du complexe B s'y trouvent aux concentrations suivantes (en mg par 100 g): thiamine 0,15, riboflavine 0,30, acide nicotinique 1,8, pyridoxine 0,20 et acide pantothénique 0,30. Le persil ne contient pas d'acide folique et seulement 0,4 μg de biotine par 100 g. Il est par contre une excellente source de vitamine C, avec une moyenne de 150 mg par 100 g.

Personnes âgées

Les personnes âgées sont, dans la population, le groupe le plus sujet à souffrir de légères déficiences vitaminiques, particulièrement les vitamines du complexe B et les vitamines C et K. Les motifs incluent une aversion pour les salades et la viande à cause d'une mauvaise dentition, une impossibilité ou un manque d'intérêt à faire son marché souvent et à varier ses achats à cause de troubles physiques ou émotionnels, la perte du conjoint entraînant une certaine apathie et moins de motivation à préparer des repas équilibrés, une consommation accrue d'hydrates de carbone raffinés, constituant bien souvent le régime de base des personnes âgées, accompagnée d'un breuvage quelconque, une sujétion à la nourriture des restaurants ou des institutions, et une mauvaise absorption des substances nutritives contenues dans les aliments.

La plupart des personnes âgées bénéficieront d'un supplément multivitaminique ainsi que d'un complément de vitamine C (250 - 500 mg par jour), de choline sous forme de phosphatidyle de choline (3 à 6 capsules par jour) ou de lécithine (5 - 15 g quotidiennement) pour améliorer l'activité mentale.

Pertes de vitamine C lors de l'entreposage des pommes de terre

La vitamine C des pommes de terre est perdue graduellement après la récolte et durant l'entreposage:

La récolte principale, fraîchement bêchée, fournit 30 mg par 100 g.
Après 1 à 3 mois d'entreposage, la teneur est de 20 mg par 100 g.
Après 4 à 5 mois d'entreposage, la teneur est de 15 mg par 100 g.
Après 6 à 7 mois d'entreposage, la teneur est de 10 mg par 100 g.
Après 8 à 9 mois d'entreposage, la teneur est de 8 mg par 100 g.

Pertes de vitamine C pendant la cuisson des pommes de terre

Suivant les méthodes de cuisson:
Bouillies, pelées, mises en purée: 30 à 50% de pertes.
Bouillies, non pelées: 20 à 40% de pertes.
Cuites au four: 20 à 40% de pertes.
Rôties: 20 à 40% de pertes.
Cuites à la vapeur: 20 à 40% de pertes.
Tranchées et frites: 25 à 35% de pertes.

On peut minimiser les pertes de vitamines en utilisant peu d'eau. Une grande partie de la vitamine C peut être récupérée par l'utilisation de l'eau de cuisson dans les bouillons, sauces, etc.

Pertes lors de la cuisson des légumes

Les pertes sont fonction a) du volume d'eau utilisé, b) du temps de cuisson et c) de la grosseur des morceaux.

Les pourcentages de pertes vitaminiques sont donnés au tableau suivant. Les pertes les plus élevées sont associées à la cuisson dans une grande quantité d'eau, durant une longue période et si les légumes sont hachés finement.

Tableau 9. **Pourcentages de pertes vitaminiques lors de la cuisson**

	Légumes racines	Légumes feuillus	Grains
Vitamine C	40	70	60
Carotène	0	0	0
Thiamine	25	40	30
Riboflavine	30	40	30
Acide nicotinique	30	40	30
Pyridoxine	40	40	40
Acide pantothénique	30	30	30
Acide folique	50	30	50
Biotine	30	30	30
Vitamine E	0	0	0

Pertes subies lors de la transformation des aliments

La transformation des aliments comprend aussi bien les méthodes de cuisson domestiques que celles utilisées dans l'industrie de transformation alimentaire. Les pertes de substances nutritives, des vitamines en particulier, peuvent être résumées comme suit:

1. Une certaine perte de vitamines est inévitable mais, sauf pour les exemples mentionnés plus loin, la plupart des pertes sont minimes.

2. Les pertes subies en industrie sont comparables à celles subies lors de la cuisson domestique.

3. Quand les aliments sont recuits à la maison après avoir été cuits dans l'industrie, les pertes de vitamines s'ajoutent à celles subies lors de la transformation industrielle.

4. Il est plus facile et plus pratique de récupérer les vitamines perdues à la maison (en utilisant l'eau de cuisson, par exemple) qu'à l'usine de transformation.

5. Afin d'évaluer l'importance des pertes dans un aliment en particulier, on doit considérer l'ensemble du régime alimentaire. Quand cet aliment ne représente qu'une petite partie de l'ingestion de vitamines, les pertes sont moins significatives. Toutefois, lorsque les pertes se font aux dépens d'aliments importants, comme le lait, les produits céréaliers pour les nourrissons et autres céréales elles peuvent entraîner de graves déficiences chez ceux qui baseraient leur alimentation sur ces produits.

6. Certaines méthodes de transformation apportent des avantages nutritionnels à la teneur vitaminique des aliments: par exemple, les inhibiteurs de trypsine de certains légumes sont détruits par la cuisson et l'acide nicotinique des céréales est libéré de sa forme inactive par la cuisson également.

7. La transformation partielle de certains aliments n'entraîne pas nécessairement la destruction des micro-organismes nuisibles présents dans ces aliments. La transformation peut améliorer l'apparence et la saveur de certains aliments et permettre la conservation pour une utilisation ultérieure. Les conditions idéales de transformation des aliments permettent ces avantages tout en réduisant au maximum les pertes vitaminiques.

Vitamine A. La vitamine A et le carotène étant insolubles dans l'eau, la transformation des aliments et la cuisson dans l'eau n'entraînent aucune perte.

L'agent destructeur principal est l'oxygène, mais les aliments sont généralement protégés par des antioxydants naturels comme la vitamine E.

La destruction de la vitamine A et des carotènes est accélérée par les peroxydes et radicaux libres associés aux graisses, les graisses polyinsaturées en particulier. Les peroxydes et radicaux libres sont produits à de hautes températures et en présence d'oxygène et de lumière, de traces de fer et de cuivre.

L'eau bouillante détruit 16% de la vitamine A dans la margarine en 30 minutes, 40% en une heure et 70% en 2 heures. La friture de la margarine à 200 °C pendant 5 minutes détruit 40% de la vitamine A, 60% en 10 minutes et 70% en 15 minutes. Le braisage du foie entraîne la perte de 10% de la vitamine A.

Les rapports assurant la constance du carotène des aliments en conserve ne sont désormais plus valables puisqu'on n'y mesurait que la quantité totale des caroténoïdes. La mise en conserve transforme une partie du carotène 100% actif en une forme active à seulement 38%. Les légumes verts peuvent perdre ainsi de 15 à 20% de leur vitamine A active; les légumes jaunes congelés ou en conserve perdent respectivement 30 et 25% de leur vitamine A active après la cuisson. Il n'y a aucune différence, en dépit des changements de température et des temps de cuisson, entre la mise en conserve commerciale, la cuisson sous pression, au four ou à l'eau de ces légumes.

Dans les fruits et les légumes, les pertes de vitamine A (comme le carotène) varient de 10 à 20% dans de bonnes conditions contrôlées de séchage, alors que la destruction est presque totale par la méthode traditionnelle de séchage à l'air libre. Des pertes de vitamine A et de carotène surviennent également dans les aliments conservés à la maison.

Tableau 10. **Pertes de vitamine A et de carotène des aliments entreposés**

	VITAMINE A			CAROTÈNE		
Aliment	**Temps d'entreposage (mois)**	**Temp. (°C)**	**Pertes (%)**	**Temps d'entreposage (mois)**	**Temp. (°C)**	**Pertes (%)**
Beurre	12	5	0-30	–	–	–
	5	28	35	–	–	–
Margarine	6	5	0-10	6	5	0
	6	23	0-20	6	23	10
Lait écrémé en poudre	3	37	0-05	–	–	–
	12	23	10-30	–	–	–
Saindoux	–	–	–	6	5	0
	–	–	–	6	23	0
Jaunes d'œufs	–	–	–	3	37	5
déshydratés	–	–	–	12	23	20
Céréales enrichies	6	23	20	–	–	–
Croustilles de pommes de terre enrichies	2	23	0	–	–	–
Boissons gazeuses	–	–	–	2	30	5
Jus en conserve	–	–	–	12	23	0-15

Thiamine. À part la vitamine C, la thiamine est la moins stable des vitamines. Stable seulement dans un milieu acide, sa destruction est accélérée en présence de cuivre. Elle est par ailleurs rendue complètement inactive par le bioxyde de soufre, un agent de conservation couramment utilisé; par exemple, la viande hachée qui en contient perd 90% de sa thiamine en 48 heures. Les protéines et acides aminés protègent la thiamine des aliments et l'amidon aide à l'absorption de la vitamine. L'addition de céréales au porc aide à stabiliser le taux de thiamine dans la viande cuite.

Les pertes les plus importantes sont dues à sa solubilité dans l'eau; les pertes sont d'autant plus grandes que l'aliment est haché finement. Les aliments hachés peuvent perdre de 20 à 70% de leur thiamine, qui peut toutefois être reprise par la récupération des jus de cuisson. La cuisson de la viande à des températures allant jusqu'à 150°C n'entraîne aucune destruction de la vitamine mais des pertes considérables des jus extraits. À des températures de 200°C, 2% de la thiamine est détruite.

La thiamine est affectée par un milieu alcalin; ainsi, la thiamine du riz cuit à l'eau distillée n'est pas détruite, alors que le riz cuit à l'eau du robinet en perd de 8 à 10% et celui cuit à l'eau provenant d'un puits en perd 36%. La cuisson au four occasionne des pertes de thiamine de l'ordre de 15 à 25% et 50% si de la levure chimique («poudre à pâte») est utilisée.

Parmi les légumes, seule la pomme de terre fournit une quantité significative dc thiamine (environ 15% de l'apport quotidien) à l'alimentation. Les pommes de terre déjà pelées et les croustilles de pommes de terre conservent leur blancheur grâce à une solution de sulfite entraînant la destruction de 55% de la vitamine qui s'y trouve. En outre, la friture cause une perte de 10% pour les pommes de terre sans agent de conservation et de 20% pour celles traitées à la solution de sulfite. Les procédés commerciaux causent 24% de pertes aux pommes de terre traitées au sulfite après 3 jours d'entreposage à 5 °C et la friture subséquente jusqu'à 30%.

Tableau 11. **Pertes de thiamine pendant la cuisson des viandes**

Viande	Méthode de cuisson	Pertes(%)
Bœuf	rôti	40-60
	grillé	50
	mijoté	50-70
	frit	0-45
	braisé	40-45
	en conserve	80
Porc	braisé	20-30
	rôti	30-40
Jambon	cuit au four	50
	frit	50
	grillé	20
	en conserve	50-60
Côtelette	braisée	15
Bacon	frit	80
Mouton, agneau	côtelette grillée	30-40
	gigot rôti	40-50
	ragoût d'agneau	50
Volaille	poulet rôti, dinde	30-45
Poisson	frit	40

La cuisson du pain occasionne des pertes de 15 à 30% de la thiamine contenue dans la farine (principalement la croûte), mais la thiamine reste stable dans la mie. Le pain rôti pendant 30 à 70 secondes emmène des pertes additionnelles de 10 à 30%. Certaines substances naturelles se trouvant dans les fougères, les bleuets et le café détruisent la thiamine. Les phénols végétaux dégradent la vitamine sous l'influence d'oxydases enzymatiques. Les thiaminases, enzymes qui détruisent la thiamine, se trouvent dans divers poissons et crustacés, mais une cuisson suffisante permet d'éliminer l'enzyme tout en préservant la vitamine.

Riboflavine. La riboflavine est stable à l'oxygène, dans un milieu acide et jusqu'à une température de 130 °C. Elle est instable en présence de substances alcalines et à la lumière. Elle est rapidement détruite dans les aliments hachés cuits à l'eau. La lumière en présence de substances alcalines convertit la riboflavine en lumiflavine qui, à son tour, détruit la vitamine C. Dans le lait, 5% de lumiflavine peut causer une perte de 50% de la teneur en vitamine C. En été, le lait exposé pendant 2 heures à la lumière du soleil perd 90% de sa teneur en riboflavine, sous un ciel partiellement couvert 45% et totalement couvert 30%. Exposé pendant 24 heures à la lumière ambiante d'une pièce, il en perd 30%. La lumière affecte la teneur en riboflavine des petits pains: l'éclairage d'un supermarché en détruit 17% pendant 24 heures, 13% si l'emballage est fait de matière plastique de couleur ambrée et 2% si l'emballage est orangé.

À la noirceur, en milieu légèrement acide, la riboflavine est complètement stable; par exemple, après 48 jours d'entreposage dans un endroit réfrigéré, la viande de bœuf conserve la même teneur en riboflavine qu'immédiatement après l'abattage.

La riboflavine du lait est perdue par le chauffage. Au point d'ébullition, les pertes sont de 12 à 25%, la pasteurisation en détruit 14%. Des pertes semblables surviennent pendant la cuisson des viandes, et dans tous les cas les dommages sont plus considérables en présence de lumière. La salaison des viandes, sèche ou humide, réduit le taux de riboflavine de 40%.

Acide nicotinique. L'acide nicotinique est très stable, et seule l'extraction par l'eau de cuisson entraîne des pertes. Il n'est affecté ni par la chaleur, ni par l'air, la lumière, le sulfite, l'acidité ou l'alcalinité. C'est une des seules vitamines à être libérée par les procédés de cuisson puisque dans de nombreuses céréales, elle est liée aux amidons et aux protéines dans un complexe appelé niacytine, qui n'est pas digéré par le système gastro-intestinal. Dans la farine de blé, 77% de l'acide nicotinique se trouve sous une forme liée qui est complètement libérée par la cuisson au four avec de la levure chimique alcaline. Au Mexique, le maïs est mis à tremper dans de l'eau acidifiée à la limette pendant la nuit qui précède la préparation des tortillas, pour permettre à la vitamine de se libérer.

Il se produit une certaine perte d'acide nicotinique lors de la cuisson des viandes, mais elle peut être récupérée par l'utilisation des jus de cuisson. Le rôtissage du bœuf et du porc à une température de 150 °C occasionne des pertes de moins de 10% de la vitamine; à des températures de 205 °C (soit une température interne de 98 °C), les pertes sont de 30%. La salaison sèche des viandes n'entraîne aucune perte d'acide nicotinique, alors que la salaison liquide cause 20% de pertes, récupérables toutefois dans le liquide. La pasteurisation et la stérilisation du lait de même que la production de poudre de lait ou d'œufs déshydratés n'ont aucun effet sur la teneur en acide nicotinique.

Pyridoxine. La pyridoxine est très stable à la chaleur, mais le pyridoxal et la pyridoxamine sont plus sensibles. Pendant la stérilisation et la déshydratation du lait, la stabilité de ces deux éléments est réduite à cause d'une interaction avec les protéines du lait. Les pertes peuvent être de 20% durant la stérilisation du lait; des températures plus élevées causent des pertes encore plus considérables. Par ailleurs, il ne se produit aucune destruction de la pyridoxine pendant la cuisson. Les trois formes de la vitamine sont tout à fait stables au contact de l'air, d'une substance acide ou alcaline. La mise en conserve des haricots entraîne des pertes de 20% si le blanchiment est fait à l'eau et de 15% à la vapeur; la vitamine peut être reprise par la récupération de l'eau de blanchiment. Lors de la cuisson des légumes congelés, il se produit des pertes de 20 à 40% de pyridoxine provenant des liquides fondus.

Acide folique. L'acide folique est instable seulement sous sa forme libre. Les pertes sont de 10% lors du blanchiment des légumes à la vapeur, de 20% à la cuisson sous pression et de 25 à 50% à l'eau bouillante. L'oxydation peut détruire l'acide folique. La stérilisation du lait peut causer des pertes variant de 20 à 100%, selon la durée du contact avec l'air. En présence de vitamine C, l'acide folique est protégé contre toute destruction. Si la vitamine C est détruite par un chauffage subséquent, l'acide folique est alors également oxydé.

L'acide folique est sensible à la lumière du soleil, et sa destruction est accélérée par la riboflavine. Sur une période d'un an, 30% de l'acide folique du jus de tomate entreposé dans des bouteilles de verre transparent est perdu comparativement à 7% si le verre est opaque.

Des pertes cumulatives d'acide folique surviennent lors de la transformation des aliments. Des fèves mises à tremper pendant 12 heures laissent échapper 5% d'acide folique dans l'eau de trempage, qui est toutefois récupérable*; le blanchiment à l'eau pendant 5 minutes à 100 °C cause une perte de 20%, 25% en 10 minutes et 45% en 20 minutes, dont seule une partie peut être reprise; lors de la mise en conserve, la stérilisation à 118 °C pendant 30 minutes détruit 10% de ce qui reste d'acide folique. Aucune autre perte ne survient une fois la mise en conserve terminée.

Vitamine B$_{12}$. La vitamine B$_{12}$ est instable en présence de substances alcalines mais n'est affectée par aucune des autres conditions de cuisson. La lumière peut en détruire une partie, mais les protéines des aliments semblent jouer un rôle protecteur. L'extraction par l'eau de cuisson est la cause principale des pertes subies lors de la préparation des aliments.

Acide pantothénique. L'acide pantothénique est stable dans la plupart des cas où la cuisson est faite en milieu neutre, mais il est détruit par la chaleur si le milieu est acide ou alcalin. Le blé subit une perte de 60% au cours des procédures de transformation utilisant de la levure chimique; 30% de l'acide pantothénique de la viande se trouve dans les jus de cuisson, qui peuvent être réutilisés. Les viandes congelées pendant 12 mois peuvent perdre de 6 à 8% de leur teneur en acide pantothénique.

Biotine. On ne sait encore rien sur la stabilité de la biotine en cours de cuisson.

Vitamine C. La vitamine C est la moins stable de toutes les vitamines. La cuisson du chou à 100 °C pendant 20 minutes réduit sa teneur en vitamine C de 70%, et la cuisson lente à 70-80 °C pendant 60 minutes la réduit de 90%. Une partie de la vitamine C peut être récupérée dans l'eau de cuisson. Préchauffer le chou détruit selon toute probabilité le reste de la vitamine.

La vitamine C des aliments est détruite par oxydation sous l'action de l'oxydase d'acide ascorbique (un enzyme libéré quand un fruit ou un légume est endommagé ou fané); elle l'est également par oxydation dans l'air ambiant, réaction accélérée par la présence de cuivre; la vitamine C est en plus détruite par la méthode de cuisson à l'eau. L'acide déhydroascorbique est produit par oxydation, mais cette

*Note de la traductrice: cette eau risque de causer de la flatulence si on la consomme.

réaction active est réversible pour reconstituer la vitamine. En effet, le blanchiment et la cuisson rapide à chaleur vive d'aliments crus détruisent l'oxydase d'acide ascorbique et préservent ainsi la vitamine. Les pertes en vitamine C des légumes cuits à la maison selon divers procédés sont illustrées dans le tableau suivant. La vitamine C est très stable dans les aliments en conserve ou en bouteilles si l'air est totalement exclu.

Tableau 12. **Pertes de vitamine C pendant la cuisson des légumes**

	Méthode de cuisson	% détruit	% extrait	% conservé
Légumes verts	Bouillis longuement, beaucoup d'eau	10-15	45-60	22-45
	Bouillis rapidement, peu d'eau	10-15	15-30	55-75
	À la vapeur	30-40	10	60-70
	Sous pression	20-40	10	60-80
Légumes racines	Bouillis	10-20	15-25	55-75
	À la vapeur	30-50	10	50-70
	Sous pression	45-55	10	45-55

Les fruits riches en anthocyanes (pigments colorants naturels) perdent de la vitamine C rapidement; les fraises, par exemple, peuvent en perdre de 40 à 60% après transformation et entreposage pendant 4 mois à la température du corps (37 °C), les framboises et les mûres sont encore moins stables. La vitamine C du jus de pomme est très instable; s'il est rangé au réfrigérateur (5 °C), il peut perdre 50% de vitamine C en 4 à 8 jours et 95% en 16 jours. Une certaine stabilité est obtenue grâce au bioxyde de soufre, mais elle n'est pas maintenue une fois le contenant ouvert.

Les boissons à l'orange perdent de 30 à 50% de leur teneur en vitamine C jusqu'à huit jours après l'ouverture de la bouteille et près de 90% après 3 ou 4 mois, même au réfrigérateur. (Les pourcentages de pertes de vitamine C contenue dans des purées de fruits exposées à l'air sont illustrés dans le tableau suivant.) Agiter les contenants après l'ouverture accélère la détérioration de la vitamine C.

Tableau 13. **Pourcentages de pertes de vitamine C dans les purées de fruits**

Nombre de jours:	8	15	35	40
Contenant plein	5	–	10	–
Contenant ouvert	15	30	–	90
Contenant à demi plein	30	60	70	100

Le tableau suivant renseigne sur la teneur en vitamine C des pois (% du légume cru) aux différentes étapes de transformation.

Tableau 14. **Pourcentages de la teneur originale en vitamine C dans les pois à diverses étapes de transformation**

	Blanchi-ment	Stérilisa-tion	Congélation	Cuisson à l'eau	À l'état de dégel	Con-sommés comme tels
Frais	–	–	–	48	–	44
En conserve	70	45	–	18	–	6
Congelés	75	–	56	–	41	17

Tableau 15. **Teneur en vitamine C des pommes de terre selon l'âge et les méthodes de cuisson** (en mg/100 g)

	Crues	Bouillies et pelées	Cuites au four avec la pelure
Récolte principale, fraîches et sèches	30	18	24
Entreposées 1-3 mois	20	12	16
Entreposées 4-5 mois	15	9	12
Entreposées 6-7 mois	10	6	8
Entreposées 8-9 mois	8	4,8	6,4

Vitamine D. La vitamine D a toujours été considérée comme très stable, mais il semble que certaines études aient exagéré cette stabilité. Elle résiste au fumage des poissons, à la pasteurisation et à la stérilisation du lait et à la déshydratation des œufs. Elle perd probablement de 25 à 35% de son activité lors de la transformation du lait en poudre de lait mais cette perte est compensée par la fortification.

Vitamine E. La vitamine E est très sensible à l'oxydation, particulièrement en présence de chaleur et de substances alcalines. Il se produit une dégradation importante de vitamine E dans les aliments congelés; par exemple, les croustilles congelées laissées à la température de la pièce pendant 2 semaines perdent 48% de leur vitamine E, 70% après 4 semaines et 77% après 8 semaines. Même au congélateur (-12 °C), les pertes de vitamine E peuvent s'élever à 68% après 2 semaines. Au congélateur, les frites peuvent perdre 68% et 74% de vitamine après 1 mois et 2 mois respectivement.

La transformation et le raffinage des céréales entraînent des pertes considérables de vitamine E. Le cas le plus grave est celui de la farine blanche, qui subit une diminution de vitamine de 92% quand elle est extraite de grains de blé entier. Le pain de blé entier procure 2,2 mg de vitamine E par 100 g, comparativement à seulement 0,23 mg dans le pain blanc du fait que le germe de blé a été retiré et à cause des agents de blanchiment, qui détruisent la vitamine E.

L'utilisation de matières grasses lors de la cuisson détruit 70 à 90% de la vitamine E. Les pertes les plus grandes surviennent en présence de graisses et d'huiles rances, ce qui ne peut pas toujours être décelé par le goût. L'usage continuel des mêmes graisses et huiles (c.-à-d. bain de friture réutilisé constamment) détruit par conséquent la vitamine de l'aliment frit.

Les esters tocophérols sont plus stables que le tocophérol libre. Dans les même conditions, seulement 10 à 20% de l'ester est détruit, alors que la vitamine libre est complètement inactivée.

La cuisson à l'eau bouillante détruit 30% de la vitamine E contenue dans les choux de Bruxelles, les choux et les carottes. La mise en conserve des légumes entraîne des pertes encore plus considérables, jusqu'à 80% de la teneur originale.

Petit-lait

Acide orotique.

PGA

Acide folique.

Phagocytes

Globules blancs du sang qui engouffrent et détruisent les micro-organismes indésirables. *Voir* Leucocytes.

Phenformine

Médicament utilisé contre le diabète, la phenformine entrave l'absorption de la vitamine B_{12}.

Phénylbutazone

Médicament anti-arthritique. Il entrave l'utilisation de l'acide folique.

Phénytoïne

Médicament anticonvulsivant qui réduit le taux d'acide folique et de la 25-hydroxy vitamine D dans l'organisme.

Phlébite

Oblitération d'une veine par un caillot causant l'apparition d'un cordon douloureux, sensible au toucher et enflé, généralement situé dans la jambe. On croit qu'un supplément de vitamine E (200 u.i. par jour) pourrait prévenir l'apparition de ce trouble. La dose utilisée pour traiter la phlébite est d'au moins 600 u.i. de vitamine E par jour.

Phosphore

Minéral essentiel. L'activation de la plupart des vitamines du complexe B nécessite sa présence sous forme de phosphate. Sous forme d'ATP (adénosine-tri-phosphate), il est au centre de la production d'énergie par l'organisme.

Pied d'athlète

Dermatophytose, ou *Tinea Pedis*, se caractérise par de petites éruptions entre les orteils, accompagnées de crevasses et de squames. Il est causé par des micro-organismes variés. On peut soulager les symptômes en saupoudrant la région affectée avec de la poudre ou des cristaux de vitamine C.

Pigmentation de la peau

Une pigmentation foncée de la peau réduit la production cutanée de la vitamine D à partir des rayons ultra-violets. Une exposition plus longue au soleil est alors requise pour produire suffisamment de vitamine D. Lorsque cela s'avère impossible, il faudra, pour assurer un apport adéquat, consommer des aliments riches en vitamine D ou prendre des suppléments.

Pistaches

Elles sont une très bonne source de carotène; elles en fournissent 130 μg par 100 g. Les vitamines du complexe B présentes sont la thiamine (0,67 mg par 100 g) et l'acide nicotinique (1,4 mg par 100 g). Les autres vitamines n'ont pas été mesurées.

Plaies de lit

Ulcères de décubitus ou plaies causées par la pression. La vitamine C (500 mg par jour) favorise la cicatrisation.

Poireau

Le bulbe contient 40 μg de carotène par 100 g de poireau cru ou bouilli, tandis que les feuilles, beaucoup plus riches, fournissent 2 000 μg par 100 g. Le taux de vitamine E est de 0,8 mg par 100 g. L'ébullition réduit les concentrations de toutes les vitamines du complexe B. On obtient (en mg par 100 g) pour le poireau cru et bouilli les taux suivants: thiamine (0,10, 0,07), riboflavine (0,05, 0,03), acide nicotinique (0,9, 0,7), pyridoxine (0,25, 0,15), acide pantothénique (0,12, 0,10). Les taux de biotine sont de 1,4 μg et 1,0 μg par 100 g respectivement. La concentration de l'acide folique dans le poireau bouilli est de 7,0 μg par 100 g.

Poires

Les poires crues ou en conserve contiennent peu de vitamines. La mise en conserve entraîne des pertes de vitamine C et de vitamines du complexe B, alors que la teneur en carotène demeure la même, à 10 μg par 100 g. Les deux variétés ne contiennent que des traces de vitamine E. Les vitamines du complexe B comprises dans les poires fraîches et en conserve ont les concentrations suivantes (en mg par 100 g): thiamine (0,03, 0,01), riboflavine (0,03, 0,01), acide nicotinique (0,3, 0,2), pyridoxine (0,02, 0,01), acide pantothénique (0,07, 0,02) et (en μg par 100 g): acide folique (11,00, 5,00) et biotine (1,00, traces). La vitamine C est réduite de 3 mg à 1 mg par 100 g dans les poires en conserve.

Les poires **cuites** ont sensiblement les mêmes quantités de vitamines que les poires fraîches avec seulement quelques pertes dans les compotes, sucrées ou non. Les taux de carotène des poires crues et en compote non sucrée sont respectivement (en μg par 100 g) de 10,9 et 8. Ne contenant que des traces de vitamine E, les poires fournissent les concentrations suivantes de vitamines du complexe B (en mg par 100 g) selon qu'elles sont crues ou en compote non sucrée et sucrée respectivement: thiamine (0,03, 0,03, 0,02), riboflavine (0,03, 0,03, 0,02), acide nicotinique (0,2, 0,2, 0,2), pyridoxine (0,02, 0,02, 0,02), acide pantothénique (0,07, 0,05, 0,05). Les taux d'acide folique sont de 11,5 et 5 μg par 100 g pour les trois sortes, alors que la teneur en biotine demeure la même, soit 0,1 μg par 100 g.

Pois

Les pois frais cuits à l'eau perdent des quantités substantielles de vitamines du complexe B et de vitamine C. Par contre, leurs vitamines liposolubles demeurent inchangées. Les concentrations de carotène et de vitamine E (en mg par 100 g) des pois frais et cuits à l'eau restent aussi stables, à 0,3 et 0,9 mg respectivement. Les taux des vitamines du complexe B changent si les pois sont frais ou cuits à l'eau. Ils sont respectivement (en mg par 100 g): thiamine (0,32, 0,25), riboflavine (0,15, 0,11), acide nicotinique (3,4, 2,3), pyridoxine (0,16, 0,10), acide pantothénique (0,75, 0,32). La teneur en acide folique n'est pas connue, mais la biotine des pois frais passe de 0,5 à 0,4 μg par 100 g s'ils sont bouillis, de même que la vitamine C diminue de 25 à 15 mg par 100 g.

Pois chiches

Source raisonnable de carotène et des vitamines B et C. Les taux de carotène pour les pois chiches crus et bouillis sont respectivement (en μg par 100 g): 190, 190; et les concentrations en vitamines du complexe B (cn mg par 100 g): thiamine (0,50, 0,14), riboflavine (0,15, 0,05), acide nicotinique (1,5, 0,5), la pyridoxine et l'acide pantothénique n'ont pas été détectés. Il n'y a aucune trace de vitamine E. C'est une excellente source d'acide folique (180 et 37 μg par 100 g). On trouve la vitamine C à une concentration de 3 mg par 100 g.

Pois congelés

Les concentrations vitaminiques sont équivalentes à ce qu'on trouve dans les pois frais et les taux dc vitamines hydrosolubles diminuent sensiblement de la même façon après cuisson dans l'eau. Les vitamines liposolubles ne sont pas affectées. Les taux de carotène et de vitamine E sont stables à 0,3 mg et 0,9 mg par 100 g respectivement. Les concentrations de vitamines du complexe B présentes (en mg par 100 g) pour les pois congelés crus et après cuisson dans l'eau sont respectivement: thiamine (0,32, 0,24), riboflavine (0,10, 0,07), acide nicotinique (3,0, 2,4), pyridoxine (0,10, 0,07), acide pantothénique (0,75, 0,32). C'est une bonne source d'acide folique (78 μg par 100 g). Les taux de biotine sont seulement de 0,5 et 0,4 μg par 100 g. La teneur en vitamine C passe de 17 à 13 mg après ébullition.

Pois en conserve

Les concentrations des vitamines hydrosolubles sont réduites comparativement à celles trouvées dans les pois frais; les concentrations sont encore plus faibles lorsqu'il s'agit de conserves préparées industriellement. Les taux de carotène et de vitamine E correspondent à ceux présents dans les pois frais, soit 0,3 mg et 0,9 mg par 100 g. Les vitamines B présentes (en mg par 100 g) sont respectivement pour les conserves maison et les conserves préparées industriellement: thiamine (0,13, 0,10), riboflavine (0,10, 0,04), acide nicotinique (2,9, 1,6), pyridoxine (0,06, 0,03), acide pantothénique (0,15, 0,08). L'acide folique subit une baisse draconienne, passant de 52 à 3 µg par 100 g. La biotine est présente à l'état de traces seulement. La vitamine C passe de 8 mg par 100 g pour les pois en conserve à l'état de traces pour les pois préparés industriellement.

Pois secs

Ils sont une bonne source de vitamines du complexe B et de carotène à l'état brut, mais l'ébullition entraîne une réduction des concentrations vitaminiques à cause de l'extraction par l'eau. Les taux de carotène (en µg par 100 g) sont, avant et après cuisson, de 250 et de 80 respectivement. La vitamine E est présente à l'état de traces seulement. Les taux de vitamines B présentes en mg par 100 g, avant et après ébullition, sont respectivement: thiamine (0,60, 0,11), riboflavine (0,30, 0,07), acide nicotinique (6,5, 2,1), pyridoxine (0,13, pas décelée), acide pantothénique (2,0, non décelé). Le taux d'acide folique des pois secs est de 33 µg par 100 g, on n'a pu en déceler aucune trace après ébullition. La vitamine C est à l'état de traces seulement.

Pois secs cassés

La cuisson dans l'eau des pois cassés entraîne une diminution de la concentration vitaminique, à la suite de l'extraction par l'eau de cuisson. Le taux de carotène passe de 150 µg par 100 g dans les pois secs à 50 µg après cuisson dans l'eau, à cause de la réhydratation.

Les pois secs crus et cuits dans l'eau fournissent respectivement les vitamines du complexe B suivantes (en mg par 100 g): thiamine (0,70, 0,11), riboflavine (0,20, 0,06), acide nicotinique (6,7, 2,3), pyridoxine (0,13, non décelée), acide pantothénique (2,0, non décelé). Le taux d'acide folique est de 33 µg par 100 g. La vitamine C est présente à l'état de traces seulement.

Poisson

Les poissons à chair blanche comprennent la morue, l'aiglefin, le flétan de l'Atlantique, la sole, la plie, le merlan et la goberge. Tous contiennent les vitamines A et D et le carotène à l'état de traces seulement, mais le flétan du Pacifique fournit 120 µg de vitamine A et 1 µg de vitamine D par 100 g. La vitamine E varie de 0,36 à 1,0 mg par 100 g.

Tous sont une source moyenne de vitamines du complexe B et les concentrations (en mg par 100 g) se situent entre 0,06 et 0,30 pour la thiamine, 0,05 et 0,22 pour la riboflavine, 2,4 et 9,6 pour l'acide nicotinique, 0,17 et 0,6 pour la pyridoxine, 0,13 et 0,80 pour l'acide pantothénique. Quant à la vitamine B_{12}, ses taux varient de 1 à 5 µg par 100 g. L'acide folique et la biotine sont présents à l'état de traces (3 - 16 µg par 100 g) et (2 - 5 µg par 100 g) respectivement.

La teneur en vitamine C est négligeable. La plie est le poisson qui en contient le plus.

Les poissons gras incluent l'anguille, le hareng, le hareng bouffi, le hareng fumé et salé, le maquereau, le pilchard, le saumon, les sardines, le sprat, la truite, le thon et la blanquette de poisson. L'anguille est une excellente source de vitamine A (1,9 mg par 100 g); par contre le hareng, le hareng bouffi, le hareng fumé et salé et le maquereau fournissent de 26 à 52 µg de vitamine A par 100 g, tandis que les autres poissons en contiennent seulement des traces. L'huile provenant des anguilles contient 120 µg de vitamine D par 100 g. Le hareng, le hareng bouffi, le hareng fumé et salé et le maquereau sont une bonne source de vitamine D, en fournissant de 13,5 à 25,0 µg par 100 g. Les autres poissons gras contiennent de la vitamine D à l'état de traces seulement.

Tous les poissons gras sont pauvres en thiamine, à l'exception du saumon qui en contient jusqu'à 0,20 mg par 100 g. Le saumon en conserve en contient seulement 0,04 µg. Les autres vitamines du complexe B sont présentes à des concentrations modérées (en mg par 100 g): riboflavine (0,1 à 0,4), acide nicotinique (2,3 à 13,1), pyridoxine (0,24 à 0,84), acide pantothénique (0,15 à 0,84). Les concentrations de vitamine B_{12} sont appréciables, se situant entre 5 et 28 µg par 100 g. Les poissons gras contiennent des traces d'acide folique (jusqu'à 15 µg) et de biotine (jusqu'à 10 µg).

Le thon en conserve dans l'huile fournit 9,2 mg de vitamine E par 100 g et le saumon jusqu'à 1,5 mg, mais les autres poissons en contiennent moins de 0,3 mg par 100 g.

La vitamine C est présente à l'état de traces seulement dans tous les poissons gras.

Tableau 16. **Pourcentages de pertes vitaminiques selon les différentes méthodes de cuisson des poissons**

	Pochage	Cuisson au four	Friture/cuisson sur le gril
Thiamine	10	30	20
Riboflavine	0	20	20
Acide nicotinique	10	20	20
Pyridoxine	0	10	20
Acide pantothénique	20	20	20
Acide folique	50	20	0
Vitamine B_{12}	0	10	0
Biotine	10	10	10
Vitamine C	5	5	20
Vitamine E	0	0	0

Poivrons

Les poivrons sont une bonne source de carotène qui reste stable même à la cuisson à l'eau. Possédant peu de vitamines du complexe B, ils sont avant tout une excellente source de vitamine C. Le taux moyen de carotène contenu dans les poivrons verts crus et cuits est de 200 µg par 100 g (entre 60 et 1 000 µg). Un autre taux qui demeure inchangé après la cuisson est celui de la vitamine E, soit 0,8 mg par 100 g. Par contre, la teneur en vitamines du complexe B des poivrons verts est affectée par la cuisson à l'eau; les concentrations respectives des poivrons crus et cuits sont les suivantes (en mg par 100 g): thiamine (0,01, traces), riboflavine (0,03, 0,02), acide nicotinique (0,9, 0,8), pyridoxine (0,17, 0,14), acide pantothénique (0,23, 0,16). Le taux d'acide folique reste inchangé à 11 μg par 100 g, alors que la teneur en vitamine C diminue de 100 à 60 mg par 100 g après la cuisson à l'eau.

Pollution

La pollution atmosphérique est produite par l'oxyde de carbone et le plomb provenant des gaz d'échappement, de l'ozone, du bioxyde d'azote, du bioxyde de soufre et de la poussière.

La vitamine C offre une protection contre l'oxyde de carbone et le plomb. La vitamine E protège contre l'ozone et les autres oxydants. Elle prévient aussi la destruction de la vitamine A par l'ozone et le bioxyde d'azote. La pollution atmosphérique empêche les rayons ultra-violets d'atteindre la peau. Par conséquent, la synthèse de la vitamine D ne se fait plus. On doit donc compenser par un apport alimentaire plus important.

Polyarthrite rhumatoïde

Voir Arthrite.

Polymyxine

Antibiotique. Elle empêche la formation de la vitamine K par les bactéries intestinales.

Pommes

Les variétés comestibles à l'état cru fournissent du carotène, de la vitamine E et des vitamines B (sauf la B_{12}). Par contre, les pommes à cuire contiennent un taux plus élevé de vitamine C. La teneur en carotène est de 30 μg par 100 g, celle de la vitamine E de 0,2 mg par 100 g. Les vitamines du complexe B présentes (en mg par 100 g) sont: thiamine 0,04, riboflavine 0,02, acide nicotinique 0,1, pyridoxine 0,03, acide pantothénique 0,10. Elles fournissent de l'acide folique (5 μg par 100 g), de la biotine (0,3 μg par 100 g) et de la vitamine C (3 mg par 100 g).

Les variétés à cuire. La cuisson des pommes et la préparation en compote entraînent des pertes vitaminiques minimes.

La teneur en carotène (en μg par 100 g) varie en fonction du traitement reçu: 30 à l'état cru, 30 après cuisson et 25 en compote. Il en est de même pour le complexe vitaminique B. On trouve donc respectivement les vitamines suivantes (en mg par 100 g): thiamine (0,04, 0,03, 0,03), riboflavine (0,02, 0,02, 0,02), acide nicotinique (0,1, 0,1, 0,1), pyridoxine (0,03, 0,02, 0,02), acide pantothénique (0,10, 0,09, 0,08). Les taux d'acide folique sont de 5, 3 et 2 μg par 100 g. La teneur en vitamine E est de 0,2 mg par 100 g, celle de la biotine est constante à 0,2 μg par 100 g. La vitamine C est présente à des taux de 15, 14 et 12 mg par 100 g. Les concentrations diminuent légèrement si du sucre est utilisé lors de la cuisson ou dans la compote, le sucre ayant un faible effet diluant.

La teneur en vitamine C diffère en fonction de la variété de pommes (voir le tableau suivant). La pelure contient plus de vitamine C que la chair. Il est donc préférable de manger les pommes entières.

Tableau 17. **La teneur en vitamine C de différentes variétés de pommes** (en mg par 100 g)

	Pelée	Non pelée
Cox Orange Pippin	2	5
Granny Smith	2	8
Laxton Superb	3	10
Golden Delicious	3	10
Newton Wonder	3	10
Worcester Pearmain	10	16
Lord Lambourne	10	16
Sturmer Pippin	20	30

Pommes de terre

Toutes les pommes de terre, vieilles et nouvelles, cuites de n'importe quelle manière, contiennent seulement des traces de carotène et 0,1 mg de vitamine E par 100 g. Plutôt pauvres en vitamines du complexe B, elles sont toutefois une source appréciable de vitamine C. Les concentrations mentionnées plus loin ne s'appliquent pas aux pommes de terre nouvelles.

Les pommes de terre **crues** contiennent les concentrations suivantes de vitamines du complexe B (en mg par 100 g): thiamine 0,11, riboflavine 0,04, acide nicotinique 1,7, pyridoxine 0,25, acide pantothénique 0,30. La biotine est présente sous forme de traces et le taux d'acide folique s'élève à 14 μg par 100 g. La teneur en vitamine C varie de 8 à 20 mg selon l'âge des pommes de terre.

Les pommes de terre **bouillies**, nature ou en purée, perdent une certaine partie de leur teneur en vitamines du complexe B, perte qui peut être récupérée par l'utilisation de l'eau de cuisson. Bouillies ou en purée, les pommes de terre possèdent la même teneur vitaminique (en mg par 100 g): thiamine 0,08, riboflavine 0,03, acide nicotinique 1,1, pyridoxine 0,18, acide pantothénique 0,20. Ne contenant que des traces de biotine, elles fournissent par contre 10 μg d'acide folique par 100 g et un taux de vitamine C qui varie entre 4 et 14 mg par 100 g.

Les pommes de terre **cuites au four** avec la pelure et sans la pelure fournissent respectivement les concentrations suivantes de vitamines du complexe B (en mg par 100 g): thiamine (0,08, 0,10), riboflavine (0,03, 0,04), acide nicotinique (1,5, 1,8), pyridoxine (0,14, 0,18), acide pantothénique (0,16, 0,20). Les taux d'acide folique s'élèvent à 8 et 10 μg par 100 g et les teneurs en vitamine C varient entre 5 et 16 et 4 et 13 mg par 100 g pour les pommes de terre avec et sans pelure respectivement.

Les pommes de terre **rôties** perdent moins de vitamines du complexe B que celles cuites à l'eau. Leurs concentrations sont (en mg par 100 g): thiamine 0,10, riboflavine 0,04, acide nicotinique 1,9, pyridoxine 0,18, acide pantothénique 0,20. Le taux d'acide folique se situe à 7 μg par 100 g et celui de la vitamine C peut varier entre 5 et 16 mg par 100 g.

Les pommes de terre **frites** possèdent une teneur vitaminique semblable à celle des pommes de terre rôties, avec les différences suivantes: acide nicotinique 2,1 mg par 100 g et acide folique 10 mg par 100 g. Le taux de vitamine C est similaire soit entre 5 et 16 mg par 100 g.

Les **croustilles** de pommes de terre possèdent le plus haut taux de vitamines du complexe B et de vitamine E. La contribution de l'huile de cuisson permet d'atteindre des concentrations de 6,1 mg par 100 g de vitamine E. Les concentrations de vitamines du complexe B sont (en mg par 100 g): thiamine 0,19, riboflavine 0,07, acide nicotinique 6,1, pyridoxine 0,89, acide pantothénique 0,20. Source appréciable de vitamine C, avec 17 mg par 100 g, elles procurent également 20 μg d'acide folique par 100 g.

Pommes de terre déshydratées

Elles conservent une bonne partie des vitamines, toutefois les concentrations diminuent lors de la préparation à cause de l'eau qui est ajoutée. Les vitamines du complexe B présentes (en mg par 100 g) dans les pommes de terre déshydratées et dans celles reconverties en purée sont respectivement: thiamine (0,04, 0,01), riboflavine (0,14, 0,03), acide nicotinique (7,8, 1,7), pyridoxine (0,82, 0,18), acide pantothénique (0,91, 0,20). Les taux d'acide folique sont respectivement de 25 et 4 μg par 100 g et ceux de la biotine de 0,5 et 0,1 μg par 100 g. La concentration de la vitamine C passe de 12 à 3 mg. Toutefois, lorsqu'on augmente la valeur nutritive des pommes de terre séchées en y additionnant de la vitamine C, les taux sont décuplés.

Pommes de terre nouvelles

Les pommes de terre nouvelles cuites à l'eau perdent une certaine partie de leur teneur en vitamines du complexe B mais principalement de la vitamine C. La mise en conserve ultérieure entraîne d'autres pertes des vitamines du complexe B mais aucune autre de la vitamine C. Les concentrations de vitamines du complexe B des pommes de terre nouvelles cuites à l'eau et en conserve sont respectivement (en mg par 100 g): thiamine (0,11, 0,02), riboflavine (0,03, 0,03), acide nicotinique (1,6, 1,0), pyridoxine (0,20, 0,16), acide pantothénique (0,20, 0,10). Le taux d'acide folique reste sensiblement le même, soit 10 et 11 μg par 100 g, de même que celui de la vitamine C, qui passe de 18 à 17 mg par 100 g lors de la mise en conserve.

Porc

Après cuisson, toutes les coupes contiennent des vitamines A et D et du carotène à l'état de traces seulement. Les taux de vitamine E se situent entre 0,01 et 0,12 mg par 100 g. C'est une source médiocre d'acide folique et de biotine. Les autres vitamines du complexe B présentes (en mg par 100 g) sont: thiamine 0,45 à 0,88, riboflavine 0,11 à 0,35, acide nicotinique 6,2 à 13,6, pyridoxine 0,23 à 0,41, acide pantothénique 0,5 à 1,3, et (en μg par 100 g): vitamine B_{12} 1 à 2, acide folique 3 à 7.

Les taux les plus élevés se trouvent dans les coupes plus maigres. Le porc est complètement dépourvu de vitamine C. *Voir* aussi Viandes: pertes lors de la cuisson.

Porto

C'est un vin de liqueur qui fournit de faibles quantités de vitamines. Le carotène est présent à l'état de traces seulement. Les vitamines du complexe B présentes (en mg par 100 g) sont: traces de thiamine, riboflavine 0,01, acide nicotinique 0,06, pyridoxine 0,01, traces de vitamine B_{12}. L'acide folique est présent à l'état de traces seulement et la vitamine C est absente.

Pouding

Ce dessert sucré au lait contient les vitamines suivantes (en mg par 100 g): vitamine A 0,3, carotène 0,02, thiamine 0,04, riboflavine 0,14, acide nicotinique 1,1, pyridoxine 0,05, acide folique 0,004, acide pantothénique 0,3, biotine 0,002, traces de vitamine B_{12}, traces de vitamine C, vitamine E 0,1; vitamine D 0,02 µg.

Poulet

Après cuisson, le poulet fournit des vitamines A et D et du carotène à l'état de traces seulement. La vitamine E varie de 0,06 à 0,15 mg par 100 g. Les concentrations des vitamines du complexe B (en mg par 100 g) sont les suivantes: thiamine 0,05 à 0,11, riboflavine 0,10 à 0,28, acide nicotinique 6,4 à 15,3, pyridoxine 0,13 à 0,53, acide pantothénique 0,6 à 1,3 et (en µg par 100 g): vitamine B_{12} 1,0, biotine 2 à 4, acide folique 4 à 13. La vitamine C est totalement absente.

Voir aussi Viandes: pertes lors de la cuisson.

Poumon (Cancer)

Voir Cancer.

Précurseurs

Substances présentes dans les aliments, les précurseurs ne sont pas des vitamines comme telles mais ils donnent naissance aux vitamines dans l'organisme ou pendant le processus de la cuisson.

Par exemple, **les carotènes** en sont, dont certains se transforment en vitamine A dans le foie et les intestins; **le L-tryptophane**, un acide aminé essentiel se trouvant dans les protéines alimentaires et qui se convertit dans le foie en acide nicotinique sous l'action combinée de la thiamine, de la riboflavine, de la pyridoxine et de la biotine; **la niacytine**, une forme liée d'acide nicotinique qu'on trouve dans certaines céréales comme le maïs qui n'est assimilable par l'organisme que lorsque l'aliment est cuit en milieu alcalin favorisant la libération d'acide nicotinique; **le 7-déhydrocholestérol** de la peau est converti en vitamine D sous l'action de la lumière du soleil, en particulier des longueurs d'onde de l'ultra-violet. **La vitamine D** est en elle-même inactive, mais elle est un précurseur du 25-hydroxy et du 1,25-hydroxy vitamine D, les formes actives dans l'organisme.

Pression sanguine

On mesure habituellement deux points: le point le plus élevé est la pression systolique ou pression maximale, qui correspond à la contraction du cœur; le point le plus bas est la pression diastolique, qui se produit lorsque le cœur est au repos. On considère qu'il y a hypertension lorsque la pression diastolique est plus grande que 90 mm.

L'hypertension peut répondre à la choline (jusqu'à 1 000 mg par jour) et à la lécithine (jusqu'à 15 g par jour). On attribue aussi à la rutine la capacité d'aider à diminuer l'hypertension (jusqu'à 600 mg de rutine quotidiennement).

Primidone

Médicament employé contre les convulsions, la primidone réduit la conversion de vitamine D en 25-hydroxy vitamine D.

Produit contre les moustiques

Des doses quotidiennes de thiamine (75 à 100 mg) assurent une certaine protection chez les individus qui ont tendance à attirer les moustiques. L'odeur que donne la thiamine à la peau aurait un effet répulsif sur les insectes.

Prostaglandines

Hormones produites par l'organisme et qui contrôlent plusieurs processus métaboliques. Toutes les prostaglandines sont formées d'acides gras polyinsaturés, d'acide linoléique et d'acide alphalinolénique, chaque acide produisant une catégorie spécifique de prostaglandines.

Les prostaglandines agissent sur la coagulation du sang et peuvent, selon le cas, augmenter ou diminuer les risques de thrombose. La vitamine E stimule la production de prostaglandines anticoagulantes. Les acides gras polyinsaturés provenant des huiles de poisson, soit l'EPA (acide éicosapentanoïque) et le DHA (acide docosahexanoïque), sont aussi des précurseurs de prostaglandines «anticoagulantes». Ils réduisent donc les risques de thrombose.

Prostate

Les problèmes les plus fréquents sont causés par de l'inflammation ou une hypertrophie. Un apport plus élevé d'acides gras polyinsaturées (huile de carthame, huile de primevère) à des doses de 3 grammes par jour et un supplément de zinc (20 mg quotidiennement) aideraient à régler certains problèmes de prostate.

Protéines

Éléments nutritifs provenant du régime alimentaire. La digestion des protéines libère des acides aminés qui, après avoir été absorbés par le tractus gastro-intestinal, sont retransformés par l'organisme en protéines spécifiques. Ces dernières sont nécessaires à la croissance et à la réparation des cellules, des tissus, des muscles et des organes.

La synthèse de ces protéines requiert de la vitamine A. Une consommation importante de protéines nécessite donc un apport concomitant de vitamine A. La pyridoxine est aussi requise. Les protéines qui jouent un rôle dans la coagulation sanguine ont besoin de la vitamine K pour leur synthèse. Les nucléoprotéines, protéides résultant de la combinaison d'une protéine et d'un acide nucléique, requièrent de la vitamine B_{12} pour leur synthèse. *Voir* Acides nucléiques.

Pruneaux

Les pruneaux séchés contiennent des concentrations vitaminiques supérieures à celles qu'on trouve dans les fruits frais, exception faite de la vitamine C, qui est pratiquement détruite lors du procédé de séchage. La préparation en compote, avec ou sans sucre, occasionne certaines pertes. Ainsi, les teneurs en carotène pour la partie comestible du fruit séché, préparé en compote sans sucre et avec sucre sont respectivement de 1 000, 510 et 470 μg par 100 g. La vitamine E est en quantité négligeable. Les vitamines du complexe B présentes (en mg par 100 g) sont respectivement: thiamine (0,10, 0,04, 0,04), riboflavine (0,20, 0,09, 0,09), acide nicotinique (1,9, 1,0, 0,9), pyridoxine (0,24, 0,10, 0,10), acide pantothénique (0,46, 0,21, 0,20). Les taux d'acide folique sont respectivement (en μg par 100 g): 4, traces, traces. La biotine et la vitamine C sont présentes à l'état de traces seulement.

Prunes de Damas

Source appréciable de carotène et de vitamine E, mais faible en vitamine C. La cuisson réduit la concentration des vitamines du complexe B présentes, principalement à cause du facteur de dilution et d'extraction dans l'eau. Les taux de carotène (en μg par 100 g) pour le fruit cru (partie comestible seulement), cuit sans sucre et avec sucre sont respectivement de 220, 180 et 170; les taux de vitamine E (en mg par 100 g) sont de 0,7, 0,6 et 0,5. Les vitamines B présentes (en mg par 100 g) sont: thiamine (0,10, 0,08, 0,06), riboflavine (0,03, 0,03, 0,02), acide nicotinique (0,4, 0,4, 0,3), pyridoxine (0,05, 0,03, 0,03), acide pantothénique (0,27, 0,21, 0,18).

L'acide folique est présent à l'état de traces (3, 1 et 1 μg respectivement), la biotine est stable à 0,1 μg. Les taux de vitamine C sont de 3, 3 et 2 mg par 100 g respectivement.

Prunes Victoria

Grosses prunes rouges. La partie comestible contient uniquement du carotène en quantité appréciable, les concentrations des autres vitamines étant plutôt faibles. Le taux de carotène est de 220 μg par 100 g, celui de la vitamine E de 0,7 mg par 100 g. Les vitamines du complexe B présentes (en mg par 100 g) sont: thiamine 0,05, riboflavine 0,03, acide nicotinique 0,6, pyridoxine 0,05, acide pantothénique 0,15. La concentration d'acide folique est de 3 μg par 100 g seulement. La biotine est présente à l'état de traces. La teneur en vitamine C se limite à 3 mg par 100 g.

Les prunes à cuire contiennent une quantité appréciable de carotène. Les concentrations des vitamines du complexe B et de la vitamine C se comparent à celles qu'on trouve dans les prunes crues. La compote préparée avec ou sans sucre entraîne de légères pertes. Les teneurs en carotène des prunes à cuire avant cuisson, préparées en compote sans sucre et avec sucre sont respectivement de 220, 180 et 170 μg par 100 g. Quant aux vitamines du complexe B, on trouve respectivement les concentrations suivantes (en mg par 100 g): thiamine (0,05, 0,04, 0,04), riboflavine (0,03, 0,03, 0,02), acide nicotinique (0,6, 0,6, 0,5), pyridoxine (0,05, 0,03, 0,03), acide pantothénique (0,15, 0,12, 0,11). Les taux d'acide folique sont respectivement (en μg par 100 g) de 3, 1 et 1. La biotine est présente à l'état de traces seulement. Les concentrations de vitamine C sont respectivement de 3, 3 et 2 mg par 100 g.

Psoriasis

C'est une maladie chronique et récurrente de la peau, caractérisée par des squames sèches, grisâtres et des plaques plus ou moins étendues, causée par une surproduction des cellules épithéliales. On a traité le psoriasis avec des applications topiques et des doses orales de vitamine A. L'acide rétinoïque et les dérivés synthétiques de la vitamine A ont aussi été utilisés.

Purée de tomate

Elle est une excellente source de carotène et de vitamine C. Elle contient en outre des quantités appréciables de vitamines du complexe B. Le taux de carotène est de 2,86 mg par 100 g, celui de la vitamine E de 6,9 mg par 100 g. Les vitamines du complexe B présentes (en mg par 100 g) sont: thiamine 0,34, riboflavine 0,17, acide nicotinique 4,8, pyridoxine 0,03, acide pantothénique 1,1. C'est une bonne source d'acide folique; elle en fournit 140 μg par 100 g. On y trouve 8 μg de biotine par 100 g. La teneur en vitamine C est de 100 mg par 100 g.

Purpura

Ce sont des hémorragies sous-cutanées d'origine indéfinie ou se produisant lors d'un traumatisme léger. Le traitement consiste à donner des doses orales de vitamine E (400 à 600 u.i. quotidiennement) jusqu'à la disparition des lésions. *Voir* Ecchymoses.

Pyridoxamine

Vitamine B_6.

Pyridoxine

Vitamine B_6.

R

Rachitisme

C'est une maladie affectant les enfants et caractérisée par une absence de la minéralisation des os, causée par une carence en vitamine D.

Le rachitisme se manifeste par de la fatigue, de l'insomnie et des mouvements constants de la tête. Chez l'enfant rachitique, l'acquisition d'habiletés telles que s'asseoir, ramper et marcher est plus lente. L'ossification des fontanelles, espace membraneux compris entre les os du crâne des jeunes enfants, est retardée. Les os n'arrivant pas à supporter le poids de l'enfant, on observe parfois l'apparition de jambes arquées, de genoux cagneux et une déformation du thorax appelée thorax en carène.

Le traitement consiste à administrer des doses de vitamine D allant jusqu'à 20 000 u.i. par jour, avec du calcium et du phosphore.

Radis

Les radis sont pratiquement dépourvus de carotène et de vitamine E. Ils sont une source médiocre du complexe vitaminique B. Par contre, la teneur en vitamine C est importante. Les vitamines du complexe B présentes (en mg par 100 g) sont: thiamine 0,04, riboflavine 0,02, acide nicotinique 0,4, pyridoxine 0,10, acide pantothénique 0,18. Le taux d'acide folique est de 24 μg par 100 g. La biotine est absente. Les radis fournissent 25 mg de vitamine C par 100 g (avec des variations de l'ordre de 10 à 35).

Raifort

Le raifort est complètement dépourvu de carotène et de vitamine E. Les vitamines du complexe B présentes (en mg par 100 g) sont: thiamine 0,05, riboflavine 0,03, acide nicotinique 1,2, pyridoxine 0,15. Les autres vitamines du complexe B sont absentes. C'est une excellente source de vitamine C; il en fournit 120 mg par 100 g.

Raisins

Le raisin blanc et le raisin noir ont un contenu vitaminique identique. Le carotène et la vitamine E sont présents à l'état de traces seulement. Les vitamines du complexe B présentes (en mg par 100 g) sont: thiamine 0,04, riboflavine 0,02, acide nicotinique 0,3, pyridoxine 0,10, acide pantothénique 0,05. La teneur en vitamine C est de 4 mg par 100 g.

Raisins de Corinthe

Ces raisins secs fournissent 30 µg de carotène par 100 g. Aucune vitamine E n'a pu être décelée. Les vitamines du complexe B présentes (en mg par 100 g) sont: thiamine 0,03, riboflavine 0,08, acide nicotinique 0,6, pyridoxine 0,30, acide pantothénique 0,10. Le taux d'acide folique est de 11 µg par 100 g. La vitamine C est complètement détruite au cours du processus de séchage.

Raisins rouges

Ils contiennent moins de vitamine C, de carotène et de vitamine E que les raisins noirs. Toutefois, les concentrations de vitamines du complexe B s'équivalent. Le taux de carotène passe de 70 µg à 55 µg par 100 g après cuisson en compote. La concentration de la vitamine E est stable à 0,1 mg par 100 g. On trouve respectivement dans les raisins frais et préparés en compote les vitamines du complexe B suivantes: thiamine (0,04, 0,03), riboflavine (0,06, 0,05), acide nicotinique (0,3, 0,3), pyridoxine (0,05, 0,03), acide pantothénique (0,06, 0,05). Les taux de biotine sont respectivement de 2,6 et 2,0 µg par 100 g. L'acide folique est absent. C'est une bonne source de vitamine C; ils en fournissent respectivement 40 et 30 mg par 100 g.

Raisins secs

Les raisins secs contiennent des concentrations vitaminiques supérieures à celles qu'on trouve dans les fruits frais, exception faite de la vitamine C. La teneur en carotène est de 30 µg par 100 g. La vitamine E n'a pas été décelée. Les vitamines du complexe B présentes (en mg par 100 g) sont: thiamine 0,10, riboflavine 0,08, acide nicotinique 0,6, pyridoxine 0,30, acide pantothénique 0,10. Le taux d'acide folique est de 4 µg par 100 g. Les raisins secs sont complètement dépourvus de biotine et de vitamine C.

Raisins secs de Smyrne

La désignation anglaise est sultana. Exception faite de la vitamine C, qui est détruite lors du processus de séchage, toutes les autres vitamines sont présentes à des concentrations plus élevées que dans les fruits frais. Le taux de carotène est de 30 µg par 100 g, celui de la vitamine E de 0,7 mg par 100 g. Les vitamines du complexe B présentes (en mg par 100 g) sont: thiamine 0,10, riboflavine 0,08, acide nicotinique 0,6, pyridoxine 0,30, acide pantothénique 0,10. La teneur en acide folique se limite à 4 µg par 100 g. La biotine n'a pas été décelée. Les raisins secs sont dépourvus de vitamine C.

Rayon de miel

La thiamine et la vitamine C sont présentes à l'état de traces seulement. Les concentrations de riboflavine et d'acide nicotinique sont de 0,05 et 0,02 mg par 100 g respectivement.

Réactions d'intoxication

Dans les pays occidentaux, les traitements vitaminiques entraînent rarement des effets indésirables; toutefois, lorsque cela se produit, c'est souvent la conséquence d'une consommation excessive de suppléments vitaminiques.

Pour les vitamines hydrosolubles, on peut difficilement parler d'accumulation dans les tissus, puisque les reins excrètent automatiquement les surplus, une fois atteint un certain seuil sanguin. En effet, selon toute évidence, l'organisme serait incapable de convertir en métabolites actifs l'excédent de vitamines du complexe B.

Les vitamines liposolubles, par contre, ont tendance à s'accumuler dans le foie et les tissus graisseux de l'organisme et à entraîner des réactions toxiques en se répandant dans les tissus. Voici les principaux symptômes:

Vitamine A: les symptômes d'une intoxication aiguë par la vitamine A ont été rapportés pour la première fois par des marins et des explorateurs de l'Arctique qui se nourrissaient de foie d'ours polaire, organe très riche en vitamine A. Les symptômes incluaient de la somnolence, une augmentation de la pression du liquide céphalo-rachidien (liquide qui baigne la colonne vertébrale et le cerveau), des vomissements et une desquamation excessive de la peau. Les quantités de vitamine A consommées se mesuraient en millions d'unités.

Il existe dans la littérature médicale américaine au moins 20 cas d'empoisonnement à la vitamine A chez des enfants âgés de moins de 3 ans. Dans la plupart des cas, les enfants on reçu des doses allant de 30 mg (90 000 u.i.) à 150 mg (450 000 u.i.) de vitamine A quotidiennement pendant plusieurs mois par suite du manque de jugement ou de l'ignorance des parents. Les symptômes d'une ingestion chronique incluent la perte d'appétit, l'irritabilité, des démangeaisons et la sécheresse de la peau, des cheveux rudes et clairsemés et de l'enflure au niveau des os longs. De plus, le foie augmente habituellement de volume.

Une bonne partie de nos connaissances concernant la toxicité de la vitamine A provient de l'Inde et des Philippines, où des doses de 200 000 u.i. aux 6 mois sont administrées à des patients carencés, vivant dans les régions éloignées. Environ 3 à 4% d'entre eux souffrent de pertes d'appétit, de nausées, vomissements et maux de tête dans les 24 heures suivant cette dose. Ces effets secondaires persistent seulement quelques jours. Puis au fur et à mesure que se fait la distribution de la vitamine dans l'organisme, les symptômes de carence en vitamine A disparaissent et l'effet bénéfique de la vitamine se fait sentir.

Des doses excessives de vitamine A entraînent généralement des rougeurs et des démangeaisons cutanées, une sécheresse de la peau et des muqueuses, des lèvres gercées et fendillées aux commissures, une inflammation de la langue et des gencives, une ulcération de la bouche et la perte des cheveux. De plus, on note de la fatigue, des hémorragies, de la rétention d'eau, une fragilité des os longs, et le foie augmente de volume. Si l'administration de doses excessives se poursuit, il se produira de l'irritabilité mentale, un sommeil perturbé, une perte de poids et une augmentation des taux sanguins de l'enzyme alcaline phosphatase entraînant des dépôts de calcium dans les vaisseaux sanguins.

Il est peu probable qu'il y ait des manifestations toxiques si les doses quotidienncs sont maintenues en deçà de 5 000 u.i. par kg de poids (par exemple, 350 000 u.i. pour un individu pesant 70 kg) durant une période ne dépassant pas 200 jours. Des arrêts de 4 à 6 semaines entre les traitements sont recommandés. Il s'agit de doses uniquement réservées à des fins thérapeutiques nécessitant une surveillance médicale. On a tendance aujourd'hui à donner des mégadoses de vitamine A et de ses analogues dans les cas de cancer et de certaines maladies de la peau. Les symptômes mentionnés plus haut concernent principalement la vitamine A sous forme rétinol car elle est emmagasinée dans le foie. L'acide rétinoïque n'est pas emmagasiné et est utilisé lorsqu'on désire obtenir rapidement de fortes concentrations sanguines.

Les analogues synthétiques de l'acide rétinoïque (les rétinoïdes) peuvent induire des symptômes de toxicité, mais à des doses beaucoup plus élevées que celles de la vitamine A. L'acide 13-cis-rétinoïque a largement été utilisé pour traiter l'acné et ses effets indésirables se limitent à des problèmes de peau et des muqueuses de la bouche, du nez et des yeux. Les symptômes de toxicité diminuent rapidement lorsqu'on cesse le traitement avec les analogues. Une réduction des doses de vitamine A et de ses analogues constitue le seul traitement d'un dosage excessif.

Vitamine D: l'écart entre la quantité requise normalement et les doses toxiques est faible. Aussi peu que 5 fois la dose recommandée quotidiennement (50 µg) pendant une période prolongée peut entraîner des concentrations sanguines élevées en calcium chez les nourrissons et des dépôts de calcium dans les reins chez les adultes.

La toxicité risque plus de se produire chez les enfants à cause, d'une part, du zèle de certains parents qui leur administrent des doses excessives et, d'autre part, d'une plus grande sensibilité au lait dont la valeur nutritive est augmentée en vitamine D, chez certains enfants. Les signes se manifestant généralement chez les enfants incluent une perte d'appétit accompagnée de nausées et de vomissements, des mictions plus fréquentes entraînant une sensation de soif, de la constipation alternant avec de la diarrhée, des douleurs à la tête et aux os. L'enfant maigrit, devient irritable et déprimé, et tombe parfois dans un état de stupeur. Le calcium se dépose dans les artères, les reins, le cœur, les poumons et les autres tissus mous et organes. Cela peut aller jusqu'à la mort.

Des mégadoses de vitamine D sont utilisées pour traiter certains troubles métaboliques des os, l'hypoparathyroïdisme, la mauvaise absorption et certains troubles arthritiques. Comme le traitement doit se poursuivre durant une longue période, il est essentiel que cela se fasse sous surveillance médicale.

L'arrêt de l'ingestion de vitamine D constitue le seul traitement d'un dosage excessif.

Vitamine E: le seul effet indésirable de cette vitamine qu'on ait noté est une faiblesse musculaire chez quelques individus consommant au moins 600 u.i. par jour. Plusieurs ont pris des doses allant de 400 à 1 600 u.i. par jour sans ressentir aucun effet toxique. Pendant une période s'étendant sur 40 ans, les chercheurs et l'Institut Shute au Canada ont traité plus de 40 000 patients utilisant des doses de vitamine E allant jusqu'à 500 u.i. quotidiennement sans qu'apparaisse aucun effet secondaire. À l'occasion, une augmentation transitoire de la pression sanguine est susceptible

162

de se produire chez certains individus consommant plus de 800 u.i. par jour, mais aucun effet n'a été décelé chez les personnes traitées pour des problèmes d'hypertension. La faiblesse musculaire tout comme l'élévation de la pression sanguine disparaissent rapidement avec un arrêt ou une réduction limitant les doses de vitamine E à 400 u.i. quotidiennement. Occasionnellement, une dermatite de contact peut se produire lorsqu'on applique de l'huile pure sur la peau ou même un onguent ou une crème contenant plus de 100 u.i. par gramme. Une réduction de la concentration permet de régler les réactions allergiques.

Thiamine: la thiamine en injection peut causer des réactions allergiques chez les individus sensibles. Toutefois, l'incidence de cette réaction est très faible. Les effets incluent des démangeaisons et de l'enflure à l'endroit de l'injection, de l'enflure de la langue, des lèvres et des yeux, des démangeaisons généralisées et de la transpiration, des éternuements, une respiration sifflante, des difficultés respiratoires et de la cyanose (la peau devient bleue), des nausées, une chute de la pression sanguine mais rarement la mort. Aucun effet indésirable n'a été rapporté avec les doses orales de thiamine.

Acide nicotinique: de fortes doses se situant entre 3 et 10 grammes par jour ont été prescrites pour réduire les taux de cholestérol sanguin.

Les réactions d'intoxication incluent des bouffées de chaleur au visage, au cou et à la partie supérieure du thorax accompagnées de démangeaisons. Plus du tiers des patients continuent de ressentir ces bouffées vasomotrices tout au long du traitement. Dans quelques cas, on note une sécheresse de la peau, un rash et une augmentation de la pigmentation de la peau, 20 à 40% des patients souffrent de jaunisse, accompagnée de nausée, de diarrhée, de douleur abdominale et de maux de tête. Les ulcères gastriques et duodénaux peuvent s'aggraver.

La nicotinamide à des concentrations similaires ne cause pas de bouffées de chaleur, toutefois une atteinte hépatique peut se produire. L'acide nicotinique doit donc être utilisé avec beaucoup de circonspection et sous surveillance médicale chez tous les individus souffrant d'ulcère gastrique ou duodénal, de goutte, de diabète et de troubles hépatiques, ainsi que pendant la grossesse.

Pyridoxine: jusqu'à tout récemment, on a cru que la pyridoxine était inoffensive, même si, à quelques occasions, on s'est aperçu qu'elle antagonisait l'action de la Levodopa, un médicament utilisé pour traiter la maladie de Parkinson.

Des doses quotidiennes d'au moins 2 000 mg, pendant une période de 2 à 40 mois, ont causé une neuropathie périphérique chez certains patients. Les symptômes débutent spécifiquement par un engourdissement des pieds et une démarche instable. Par la suite, on note une incapacité de marcher d'un pas ferme, particulièrement dans la noirceur, et de manipuler correctement des petits objets. L'engourdissement des mains et une maladresse se développent dans les mois qui suivent, à un point tel que dactylographier devient une tâche ardue. Il se produit aussi une modification de la sensation au niveau des lèvres et de la langue. Les concentrations normales de la pyridoxine dans le plasma sanguin se situent autour de 0,36 à 1,8 μg par 100 ml, alors que chez ces patients on trouve des taux de 3,0 μg et plus. Après un arrêt d'un mois, les concentrations de pyridoxine chutent à 1,7 µg par 100 ml de plasma. Dans tous les cas, le retrait de la pyridoxine amène une amélioration des symptômes et les tests démontrent un rétablissement notable du système nerveux; toutefois, celui-ci peut prendre plusieurs mois. Lorsque les concentrations de pyridoxine dans les suppléments sont limitées à moins de 2 000 mg par jour, aucune réaction indésirable ne se produit. Selon toute évidence, les doses habituellement utilisées pour traiter les troubles prémenstruels (25 à 100 mg par jour) sont inoffensives.

Acide folique: l'acide folique antagonise l'action de la phénytoïne, un médicament utilisé dans le traitement de l'épilepsie. Il est donc préférable de laisser au médecin le soin de doser adéquatement ces deux substances.

De fortes doses d'acide folique peuvent épuiser les réserves de vitamine B_{12} dans l'organisme. L'administration de fortes doses d'acide folique à des individus souffrant d'anémie pernicieuse causée par une mauvaise absorption de la vitamine B_{12} peut avoir des conséquences graves. En effet, des doses importantes d'acide folique peuvent masquer les symptômes sanguins de l'anémie, mais la dégénérescence nerveuse de la moelle épinière se poursuit.

Il est donc important de bien diagnostiquer la cause de l'anémie mégaloblastique, de distinguer s'il s'agit d'une carence en acide folique ou en vitamine B_{12}.

Des doses orales d'acide folique ont été utilisées pour traiter les pertes d'appétit, le gonflement abdominal et la flatulence. Occasionnellement, des injections d'acide folique peuvent causer une augmentation transitoire de la température corporelle et des symptômes de fièvre.

Vitamine B_{12}: on n'a jamais rapporté de réactions indésirables faisant suite à des doses orales de vitamine B_{12}. Des réactions allergiques peuvent se produire après des injections intramusculaires de vitamine B_{12}, toutefois l'incidence est faible.

Riboflavine: aucune réaction de toxicité connue.

Acide pantothénique: aucune réaction indésirable n'a été rapportée, même après un traitement à long terme allant jusqu'à 2 g par jour, pris oralement ou par injection, dans les cas d'arthrite rhumatoïde.

Carotène: on le considère généralement comme étant sûr, même à des doses provoquant une coloration jaune de la peau.

Biotine: aucune réaction indésirable n'a été rapportée, même chez des nourrissons recevant 5 mg par jour sous forme orale ou injectable pour traiter des lésions cutanées.

Vitamine C: on la considère comme la vitamine la plus sûre, même prise en grande quantité. Toutefois, certaines personnes devront s'abstenir de prendre des doses supérieures à 1 g par jour à cause d'une déficience métabolique héréditairement acquise qui entraîne des excès d'acide oxalique, de cystine ou d'acide urique dans le sang et l'urine. Ces gens sont prédisposés à former des calculs rénaux. Cette maladie est peu fréquente et la plupart des gens pourront tolérer des doses quotidiennes de 3 g et plus. De fortes doses de vitamine C ne sont pas conseillées chez les individus souffrant de calculs rénaux ainsi que chez les patients traités aux anticoagulants, bien qu'ils puissent tolérer adéquatement l'absorption de suppléments allant jusqu'à 500 mg par jour, sur une longue période.

Les réactions indésirables reliées à des doses excessives de vitamine C touchent surtout le système gastro-intestinal, incluant ainsi nausées, crampes abdominales et diarrhée. La vitamine C agit aussi comme un diurétique, favorisant l'élimination de l'excès d'eau. Lorsque la diarrhée est causée par l'ingestion d'une trop forte dose de vitamine C, on peut réduire cet effet indésirable en diminuant la quantité ingérée de 500 mg à 1 g par jour.

On a prétendu que des mégadoses de vitamine C pouvaient détruire la vitamine B_{12}, mais cette assertion est remise en question aujourd'hui.

Régime amaigrissant

Lorsque le régime amaigrissant limite l'apport calorique à 1 000 calories ou moins par jour, on assiste à une diminution concomitante des vitamines et minéraux. Les taux consommés sont alors habituellement inférieurs aux doses recommandées. L'absorption d'un supplément de multivitamines et minéraux est essentielle pendant une cure d'amaigrissement.

Reines-Claudes

Variété de prunes. Elles sont une source médiocre de la plupart des vitamines. Par ailleurs, la cuisson avec ou sans sucre réduit davantage les concentrations vitaminiques. Le carotène est absent. Les taux de vitamine E (en mg par 100 g) pour les fruits frais, cuits sans sucre et avec sucre sont respectivement de 0,7, 0,6 et 0,5. On trouve respectivement les vitamines du complexe B suivantes (en mg par 100 g): thiamine (0,05, 0,04, 0,04), riboflavine (0,05, 0,03, 0,03), acide pantothénique (0,2, 0,16, 0,14).

L'acide folique et la biotine sont présents à l'état de traces seulement. Les taux de vitamine C sont respectivement de 3, 3 et 2 mg par 100 g.

Résistance à la maladie

La résistance à la maladie dépend de l'efficacité de l'organisme à développer une réponse immunitaire. Pour y arriver, il a besoin d'un apport suffisant de vitamine A, d'acide folique, des vitamines B_{12} et C, d'acide pantothénique et de choline.

Rétinal

Aldéhyde de la vitamine A, rétinaldéhyde. C'est la forme active de la vitamine A qui joue un rôle dans le processus de la vision.

Rétinoïde

Terme utilisé pour décrire la vitamine A et ses dérivés d'origine naturelle ou synthétique.

Rétinol

Vitamine A.

Rhubarbe

La rhubarbe fournit un peu de carotène, de vitamines E et C ainsi que des vitamines du complexe B. La rhubarbe crue, préparée en compote sans sucre et avec sucre contient respectivement 60, 55 et 50 μg de carotène par 100 g.

La vitamine E est stable à 0,2 mg par 100 g. On trouve respectivement les vitamines du complexe B suivantes (en mg par 100 g): thiamine (0,10, traces, traces) riboflavine (0,03, 0,02, 0,02), acide pantothénique (0,08, 0,06, 0,05). Les taux d'acide folique sont de 8, 4 et 4 μg par 100 g. La biotine n'a pas été décelée. La teneur en vitamine C est de 10, 8 et 7 mg par 100 g respectivement.

La rhubarbe **en conserve** fournit des concentrations vitaminiques équivalentes à celles qu'on trouve dans la compote, exception faite de la vitamine C qui voit sa teneur passer à 1 mg par 100 g.

Rhumatisme

C'est un terme général utilisé pour désigner des affections des muscles, tendons, jointures, os ou nerfs, entraînant de l'incommodité et parfois même une invalidité. Ce terme inclut la polyarthrite rhumatoïde, l'arthrose, la spondylite, la bursite, le rhumatisme musculaire ou fibrosité, la myosite, le lumbago, la sciatique et la goutte. La thérapie vitaminique est équivalente à celle utilisée pour la polyarthrite rhumatoïde.

Voir Goutte.

Rhume

Infection virale affectant les voies respiratoires supérieures. Connu aussi sous les noms de coryza, rhinite, rhume de cerveau.

Il est utile d'augmenter l'apport de vitamine A pendant cette affection. Le traitement vitaminique consiste à prendre 1 g de vitamine C aux 4 heures jusqu'à l'obtention d'un soulagement; puis on réduit la dose graduellement pendant une période d'une semaine, pour en arriver à 1 g par jour. La dose de maintien est de 500 mg de vitamine C quotidiennement.

Rhume des foins

C'est une affection caractérisée par une inflammation des muqueuses, donnant lieu à une hypersécrétion du nez et des yeux, et causée par une hypersensibilité aux pollens. Il semble que de fortes doses du complexe vitaminique B et d'un supplément de pantothénate de calcium (100 mg) et de pyridoxine (100 mg) pourraient aider à prévenir le rhume des foins dans certains cas. Le traitement inclut la vitamine C (500 mg aux 6 heures), qui a démontré un effet antihistaminique. On prétend aussi que certains individus auraient été soulagés par l'absorption de 300 u.i. de vitamine E et de 200 mg de flavonoïdes quotidiennement.

Riboflavine

Vitamine B_2.

Ris de veau ou d'agneau

Ils contiennent des traces de vitamines A, D et E et de carotène. Les ris frits fournissent de la riboflavine (0,24 μg par 100 g), de l'acide nicotinique (6,2 μg) et de la vitamine B_{12} (4 μg par 100 g). La concentration des autres vitamines du complexe B et de la vitamine C est plutôt négligeable.

Riz

Le riz **poli**, cru, est une bonne source de vitamines du complexe B; il fournit (en mg par 100 g): thiamine 0,08, riboflavine 0,03, acide nicotinique 3,0, pyridoxine 0,30, acide folique 0,029, acide pantothénique 0,6, biotine 0,003, vitamine E 0,6. C'est la principale source de vitamines du complexe B lorsque le riz constitue l'élément de base du régime alimentaire.

La cuisson du riz dans l'eau entraîne une diminution de la concentration des vitamines. Toutefois, il est possible de récupérer les vitamines extraites par l'eau de cuisson. On y trouve les vitamines suivantes (en mg par 100 g): thiamine 0,01, riboflavine 0,01, acide nicotinique 0,8, pyridoxine 0,05, acide folique 0,006, acide pantothénique 0,2, biotine 0,001, vitamine E 0,1.

Rognons

Ils sont une bonne source de vitamine A (140 à 250 μg par 100 g), mais les quantités de carotène et de vitamine D sont négligeables. Les rognons fournissent des taux appréciables du complexe vitaminique B, particulièrement de vitamine B_{12}. Les concentrations (en mg par 100 g) sont: thiamine 0,19 à 0,56, riboflavine 1,9 à 2,3, acide nicotinique 11,0 à 14,9, pyridoxine 0,25 à 0,32, acide pantothénique 2,4 à 5,1, vitamine B_{12} 0,015 à 0,079, acide folique 0,042 à 0,079, biotine 0,024 à 0,053. Les concentrations de vitamine C varient de 9 à 14 mg par 100 g.

Ronces - framboises

Elles sont une bonne source de vitamine C et contiennent un peu de carotène et de vitamine B. Les teneurs en carotène (en μg par 100 g) des fruits crus, de la compote cuite sans sucre et avec sucre sont respectivement de 80, 75 et 70; la vitamine E est présente dans des concentrations de 0,3 mg par 100 g dans toutes les variétés. Les vitamines du complexe B (en mg par 100 g) qui se trouvent dans les fruits crus, la compote cuite sans sucre et avec sucre sont respectivement: thiamine (0,02, 0,02, 0,02), riboflavine (0,03, 0,03, 0,03), acide nicotinique (0,6, 0,6, 0,4), pyridoxine (0,06, 0,05, 0,05), acide pantothénique (0,24, 0,20, 0,18). Selon toute probabilité, l'acide folique et la biotine en sont absents. Les teneurs en vitamine C sont (en mg par 100 g) de 35, 29 et 26 respectivement pour les trois formes.

Les fruits **en conserve** ont un contenu de vitamines légèrement inférieur à celui des fruits cuits en compote. Les taux (en mg par 100 g) sont: thiamine 0,01, riboflavine 0,02, acide nicotinique 0,4, pyridoxine 0,04, acide pantothénique 0,17, vitamine C 25.

Rutabaga

Il est virtuellement dépourvu de carotène et de vitamine E. Les rutabagas crus et cuits dans l'eau fournissent respectivement les vitamines suivantes (en mg par

100 g): thiamine (0,06, 0,04), riboflavine (0,04, 0,03), acide nicotinique (1,1, 1,0), pyridoxine (0,20, 0,12), acide pantothénique (0,11, 0,07). L'acide folique est présent à des taux de 27 et 21 µg par 100 g respectivement. La biotine est à l'état de traces seulement. C'est une bonne source de vitamine C; ils en fournissent respectivement 25 et 17 mg par 100 g.

Rutine

C'est un flavonoïde particulièrement abondant dans le sarrasin. On l'utilise pour traiter les problèmes de saignement des gencives et pour renforcer les parois des capillaires. Les doses sont de l'ordre de 60 à 600 mg par jour. Il est préférable de prendre simultanément de la vitamine C (jusqu'à 500 mg par jour).

S

Salade de fruits

Une salade de fruits typique contient 35% de pêches ou d'abricots, 35% de poires, 10% de cerises, 10% de raisins et 10% d'ananas. C'est une bonne source de carotène (300 µg par 100 g). Les vitamines du complexe B présentes (en mg par 100 g) sont: thiamine 0,02, riboflavine 0,01, acide nicotinique 0,3, pyridoxine 0,01, acide pantothénique 0,04. Les taux d'acide folique et de biotine sont respectivement de 4 µg et 0,1 µg par 100 g. La vitamine C est présente en petite quantité, soit 3 mg par 100 g.

Salsifis

Cette plante de la famille des Composées est cultivée pour ses racines comestibles. La saveur des racines du salsifis s'apparente à celle des asperges. Le carotène et la vitamine E en sont absents. On y trouve cependant un peu de thiamine (0,03 mg par 100 g) et de vitamine C (4 mg par 100 g). L'acide nicotinique présent (0,3 mg par 100 g) provient du tryptophane.

Sang

Les vitamines requises pour une production sanguine normale incluent la vitamine B_{12}, l'acide folique et les vitamines E, C et B_6.

Sauce tomate

Elle est une bonne source de carotène, de vitamine C et de quelques vitamines du complexe B. Elle contient 1,23 mg de carotène et 1,4 mg de vitamine E par 100 g. La sauce tomate est dépourvue de vitamines A et D, à moins qu'entrent dans sa composition des produits d'origine animale. Les vitamines du complexe B présentes (en mg par 100 g) sont: thiamine 0,08, riboflavine 0,05, acide nicotinique 1,4, pyridoxine 0,11, acide pantothénique 0,3. On y trouve 15 µg d'acide folique et 2 µg de biotine par 100 g. La teneur en vitamine C est de 10 mg par 100 g.

Schizophrénie

C'est un désordre mental caractérisé par:

1. une perturbation de la capacité de faire des associations logiques,
2. une limitation de la variété des réponses émotives,
3. de l'autisme,
4. des sentiments mêlés rendant la personne non fonctionnelle.

L'acide folique et la pyridoxine, ainsi que l'acide folique administré seul à de très fortes concentrations, ont été utilisés pour traiter la schizophrénie. Certains ont bien répondu à l'ingestion simultanée de nicotinamide et de vitamine C. Des injections de vitamine B_{12} ont parfois été bénéfiques. *Voir* Thérapie mégavitaminique.

Scorbut

Il résulte spécifiquement d'une carence en vitamine C. Les symptômes incluent de la lassitude, de la faiblesse, de l'irritabilité, des douleurs musculaires et articulaires indéterminées, une perte de poids, le saignement des gencives, une gingivite, le déchaussement des dents, des petites hémorragies sous-cutanées suivies d'hémorragies plus importantes dans les muscles de la cuisse. Le traitement consiste à administrer des doses orales de vitamine C de l'ordre de 200 à 2 000 mg quotidiennement.

Sélénium

C'est un minéral présent à l'état de traces dans l'organisme et qui agit en synergie avec la vitamine E. Les normes habituelles sont de 200 u.i. de vitamine E pour 25 μg de sélénium. Le sélénium a été employé avec succès comme supplément dans le traitement de l'angine à des doses trois fois plus fortes que celles mentionnées précédemment.

Semoule

La semoule est une sorte de farine granulée dérivée du maïs. Elle contient des traces de vitamine E, mais elle est dépourvue de carotène et de vitamine C. La cuisson dans l'eau réduit les concentrations des vitamines hydrosolubles. La semoule crue contient les concentrations suivantes de vitamines du complexe B (en mg par 100 g): thiamine 0,10, riboflavine 0,02, acide nicotinique 2,9, pyridoxine 0,15, acide pantothénique 0,3. C'est une bonne source d'acide folique; elle en fournit 25 μg par 100 g. Le taux de biotine est de 1 μg par 100 g.

Sirop de maïs

Il contient de la thiamine, de la riboflavine, de l'acide nicotinique, de la pyridoxine, de l'acide pantothénique, de l'acide folique et de la biotine à l'état de traces seulement.

Sirop de fleur d'églantier

Le sirop concentré est une excellente source de vitamine C. La vitamine E est présente à l'état de traces seulement ainsi que la thiamine, la riboflavine, l'acide nicotinique, la pyridoxine, l'acide pantothénique, l'acide folique et la biotine. La concentration de la vitamine C est de 295 mg par 100 ml.

Son

Le son de blé est une excellente source du complexe vitaminique B; il fournit (en mg par 100 g): thiamine 0,89, riboflavine 0,36, acide nicotinique 32,6, pyridoxine 1,36, acide pantothénique 2,4, acide folique 0,26, biotine 0,014, vitamine E 26. Il est complètement dépourvu des vitamines A, D et C et de carotène.

Soupes

Les vitamines du complexe B sont pratiquement les seules vitamines présentes dans toutes les soupes, mis à part la vitamine A, le carotène et la vitamine D, qu'on trouve presque uniquement dans les soupes aux lentilles et aux tomates. On trouve dans les soupes concentrées en conserve et dans les soupes déshydratées reconstituées les vitamines B suivantes (en mg par 100 g): thiamine 0,01 à 0,07, riboflavine 0,01 à 0,05, acide nicotinique 0,1 à 0,8, pyridoxine 0,01 à 0,07. L'acide folique est décelé uniquement dans les soupes à base de tomates ou de champignons et son taux est de l'ordre de 2 à 12 μg par 100 g. La concentration de la thiamine dans les soupes déshydratées de queues de bœuf est de 0,8 mg par 100 g et est fournie principalement par l'assaisonnement.

La soupe aux lentilles contient en plus 40 μg de vitamine A par 100 g, 430 μg de carotène et 0,28 μg de vitamine D par 100 g provenant principalement du jambon qu'on y ajoute. La vitamine C est présente à l'état de traces.

La soupe aux tomates fournit en plus 210 μg de carotène et des traces de vitamine C.

Sources alimentaires

Une étude effectuée en 1980 a montré les pourcentages de l'apport vitaminique provenant de différents aliments de la diète moyenne des résidents du Royaume-Uni. Ainsi on a trouvé que pour

La thiamine - 42% provenait du pain et des céréales, 19% des légumes et 15% de la viande et des abats.

La riboflavine - 41% provenait du lait et des produits laitiers, 19% de la viande et des abats et 15% du pain et des céréales.

L'acide nicotinique - 36% provenait de la viande et des abats, 20% des céréales et du pain, 14% des légumes et 14% du lait et des produits laitiers.

La vitamine C - 50% provenait des légumes et 39% des fruits.

La vitamine A - 37% provenait de la viande et des abats, 24% des légumes, 20% du beurre et des graisses, 14% du lait et des fromages.

Spaghetti

Pâtes alimentaires faites de farine de blé, les spaghetti sont dépourvus de carotène et de vitamine E. Les spaghetti en conserve contiennent des traces de vitamine C provenant de la sauce tomate. Les pâtes cuites dans l'eau ou mises en conserve voient leur concentration vitaminique diminuer à cause de l'extraction par l'eau de cuisson. Ainsi, on trouve respectivement dans les spaghetti crus, cuits dans l'eau et en conserve les vitamines suivantes (en mg par 100 g): thiamine (0,14, 0,01, 0,01), riboflavine (0,06, 0,01, 0,01), acide nicotinique (4,8, 1,2, 0,7), pyridoxine (0,06, 0,01, 0,01), acide pantothénique (0,3, traces, traces). Les taux d'acide folique sont respectivement de 13, 2 et 2 μg par 100 g. La biotine est présente à l'état de traces seulement.

Spasmes musculaires

Appelés aussi impatience musculaire dans les jambes. Ce malaise se produit souvent pendant le sommeil; on obtient un soulagement en bougeant la jambe atteinte ou en marchant. On traite les spasmes musculaires avec de la vitamine E: 100 u.i. à chaque repas **ou** 400 u.i. en dose unique.

Spiritueux

Ces liqueurs fortes en alcool sont dépourvues de vitamines.

Spironolactone

Ce diurétique diminue la disponibilité de la vitamine A.

Spirulina

Cette algue bleu vert faisait partie de l'alimentation de base des Aztèques au Mexique. On l'utilise aujourd'hui comme supplément alimentaire hautement protéiné, riche en vitamines et minéraux. Les vitamines présentes (en mg par 100 g) sont: carotène 250, vitamine E 19,0, thiamine 5,5, riboflavine 4,0, acide nicotinique 11,8, pyridoxine 0,3, acide pantothénique 1,1, inositol 35,0, acide folique 0,05, biotine 0,04, vitamine B_{12} 0,2.

Sprue

Maladie tropicale qui se caractérise par une glossite, une stéarrhée et des symptômes de malnutrition. Étant incapables d'absorber les vitamines liposolubles, les personnes souffrant de sprue doivent donc recevoir des suppléments vitaminiques sous forme injectable ou oralement sous forme hydrosoluble. Elles ont aussi besoin de vitamines du complexe B.

Stérilité

Voir Fertilité.

Stéroïdes

Voir Corticostéroïdes.

Stilbœstrol

Œstrogène synthétique. Il diminue les taux de pyridoxine de l'organisme.

Stomatite

Inflammation de la muqueuse buccale qui peut aussi être le symptôme d'une autre maladie, par exemple dans la sprue. Elle peut répondre à des doses orales quotidiennes de 300 mg de nicotinamide. *Voir* Glossite, Gingivite.

Stress

En période de stress, l'organisme requiert des concentrations au moins 10 fois plus élevées de vitamines du complexe B et de vitamine C qu'en temps normal. En effet, l'acide pantothénique particulièrement et la vitamine C jouent un rôle dans la production d'hormones antistress.

Le stress oxydatif exige en plus un apport minimal de 400 u.i. de vitamine E. *Voir* Vitamine E.

Le stress physique. *Voir* Athlètes.

Sucre

Le sucre blanc raffiné est complètement dépourvu de vitamines.

Le sucre Demerara contient les vitamines du complexe B suivantes (en mg par 100 g): traces de thiamine, riboflavine 0,01, acide nicotinique 2,0, pyridoxine 0,1, acide pantothénique 0,20 mg. Elle contient aussi 2,8 mg de choline et 24,0 mg d'inositol par 100 g.

Sulfamides

Antibactériens qui agissent en inhibant l'absorption de l'acide para-amino-benzoïque (PABA) par les bactéries nuisibles. L'ingestion d'un supplément de PABA est contre-indiquée lors d'un traitement aux sulfamides. En détruisant les bactéries intestinales, ils entravent la synthèse de la vitamine K.

Sulfasalazine

Médicament utilisé pour traiter la maladie de Crohn et la colite ulcéreuse. La sulfasalazine entrave l'absorption de l'acide folique.

Surdité

Elle peut être causée par l'otosclérose, une maladie résultant de la fusion des os de l'oreille moyenne, qui deviennent ainsi incapables de vibrer et de transmettre les sons. Cela se produit chez les personnes âgées souffrant depuis longtemps d'une déficience en vitamine A.

Le traitement vitaminique n'apporte aucun soulagement, mais un apport adéquat tout au long de la vie peut aider à prévenir ce phénomène.

Système immunitaire

L'organisme développe des mécanismes de défense pour lutter contre les infections virales et bactériennes. La production des cellules responsables de cette lutte se fait dans le thymus, la rate et le système lymphatique. Une mauvaise alimentation et une déficience en certaines vitamines viennent compromettre ce processus. *Voir* Résistance aux infections.

Système nerveux

Les vitamines du complexe B et la vitamine E sont nécessaires au bon fonctionnement du système nerveux. Un apport de 50 à 600 mg de thiamine par jour apporte un soulagement aux sciatiques, névralgies du trijumeau, paralysies faciales, névrites optiques et périphériques. Les psychoses et la détérioration mentale réagissent à la vitamine B_{12}, administrée de préférence en injections.

La choline produit un effet bénéfique dans certains cas de maladie d'Alzheimer et de démence sénile. La vitamine E, en association avec l'inositol, agit dans le traitement de certaines maladies nerveuses reliées à une dégénérescence musculaire. De grandes concentrations de toutes les vitamines du complexe B réduisent la détérioration mentale dans les cas de chorée de Huntington. La dépression légère diminue souvent à la suite d'un apport de vitamine B_6 seule.

De fortes doses (1 à 3 g par jour) d'acide nicotinique ont été employées avec succès pour le traitement de la schizophrénie, tandis que 50 mg par jour de pyridoxine aident au soulagement de la paresthésie.

Des déficiences en thiamine, riboflavine, nicotinamide, pyridoxine et vitamine B_{12} occasionnent des dommages au système nerveux. En conséquence, il semble préférable de traiter toute condition nerveuse ou mentale avec de fortes doses de toutes les vitamines du complexe B.

T

Tabagisme

Voir Acétaldéhyde et Cancer des poumons.

Tapioca

Fécule amylacée extraite de la racine du manioc, appelé aussi cassave. On ne trouve ni carotène ni vitamine C dans le tapioca cru. Les vitamines suivantes sont présentes à l'état de traces seulement: vitamine E, thiamine, riboflavine, acide nicotinique, pyridoxine, acide pantothénique, acide folique et biotine.

Température

Voir Administration saisonnière de suppléments vitaminiques.

Tétracycline

Antibiotique. Les tétracyclines entravent la formation de la vitamine K à partir des bactéries intestinales.

Thé

Les feuilles de thé séchées (thé de Ceylan) contiennent quelques vitamines; toutefois, l'infusion entraîne des pertes importantes. Le carotène et la vitamine C sont présents à l'état de traces dans les feuilles séchées, mais l'infusion en est dépourvue. Les feuilles de thé séchées et l'infusion fournissent respectivement les vitamines du complexe B suivantes (en mg par 100 g): thiamine (0,14, traces), riboflavine (1,2, 0,01), acide nicotinique (7,5, 0,1), acide pantothénique (1,3, traces).

Thérapie mégavitaminée

Elle consiste à traiter certaines affections à l'aide de doses de vitamines beaucoup plus fortes que les taux normalement préconisés dans un régime équilibré. On utilise alors les vitamines comme des médicaments, sans craindre les effets secondaires qui accompagnent les drogues. Cette thérapie a été utilisée avec succès dans le traitement de l'arthrite, de l'autisme, de rhumes, de malaises cardiaques, de l'hyperactivité, de troubles d'apprentissage, d'infections respiratoires, de la schizophrénie et de la démence sénile. *Voir* chacun de ces termes pour connaître le traitement.

Thiamine

Vitamine B_1.

Thrombophlébite

Voir Phlébite.

Thrombose

Voir Caillot sanguin.

Thymus

Glande qui joue un rôle dans le développement du système immunitaire et dans la résistance aux infections. Le thymus atteint son développement maximal lorsque l'enfant a 2 ans. On assiste par la suite, après une période de stagnation, à une atrophie progressive de la glande. Un apport adéquat de vitamine A, de choline, d'acide folique, de vitamine B_{12} et d'acides aminés permet au thymus d'exercer pleinement son rôle. Il est essentiel que la femme en gestation reçoive suffisamment de méthionine pour le développement normal du thymus chez le nourrisson.

Tocophérol

Vitamine E.

Tomates

C'est à l'état cru qu'elles contiennent les plus fortes concentrations vitaminiques, quoique la mise en conserve n'occasionne que des pertes légères. Le taux de carotène passe de 600 μg (variation de 200 à 1 000) dans les tomates crues à 500 μg (variation de 300 à 600) dans les tomates en conserve. La concentration de la vitamine E est stable à 1,4 mg par 100 g. On trouve respectivement dans les tomates crues et les tomates en conserve les vitamines du complexe B suivantes (en mg par 100 g): thiamine (0,06, 0,06), riboflavine (0,04, 0,03), acide nicotinique (0,8, 0,8), pyridoxine (0,11, 0,11), acide pantothénique (0,2, 0,2). Les taux d'acide folique sont de 25 et 20 μg par 100 g respectivement. La concentration de la biotine reste stable à 1,5 μg par 100 g. On obtient 20 μg (variation de 10 à 30) et 18 mg de vitamine C par 100 g respectivement pour les tomates crues et en conserve. La friture entraîne des pertes, le taux de vitamine C passant alors à 10 mg par 100 g.

Toxémie gravidique

Ou toxémie de la grossesse. Certains cas de toxémie sont peut-être reliés à une carence en pyridoxine ou plus encore à une carence en acide folique.

Tractus gastro-intestinal

Tube digestif, il comprend l'estomac et les intestins responsables de la digestion des aliments et de l'absorption des nutriments.

La nicotinamide (à des doses allant jusqu'à 3 000 mg par jour) a été utilisée pour traiter les troubles de mauvaise absorption intestinale comme la sprue. Une déficience en acide folique peut causer la destruction des cellules tapissant l'intestin grêle et entraver le processus d'absorption. Une carence en acide pantothénique peut causer un gonflement abdominal. Un supplément vitaminique réduirait la distension postopératoire, les nausées ainsi que les effets de l'iléus paralytique. La thiamine favorise une bonne digestion et un meilleur fonctionnement des voies digestives. Elle renforce les muscles du tube digestif et peut régler les problèmes de constipation chronique.

La vitamine C, lorsqu'elle est prise en même temps que l'aspirine, peut prévenir les saignements induits par ce médicament. La vitamine E à fortes doses (jusqu'à 600 u.i. quotidiennement) aurait un effet préventif sur les ulcères gastriques. On a obtenu de meilleurs résultats avec la vitamine A à fortes doses (150 000 u.i. quotidiennement pendant 4 semaines) pour traiter les ulcères gastriques. Quelques indices permettent de croire qu'un supplément de vitamine A aiderait à prévenir le cancer de l'estomac.

Trétinoïne

Vitamine A acide, acide rétinoïque. Son application sur la peau peut causer des effets indésirables incluant une sensation transitoire de chaleur ou de légers picotements, de la rougeur, une dermatite allergique.

Triamtérène

Diurétique. Il entrave l'utilisation de l'acide folique.

Trifluopérazine

Médicament antidépresseur, sédatif, antiémétique, utilisé aussi et comme relaxant du système gastro-intestinal. Il entrave l'absorption de la vitamine B_{12}.

Tripes

Elles contiennent de petites quantités du complexe vitaminique B et des concentrations négligeables de vitamines A, C, D et E et de carotène.

Troubles cutanés

Les troubles cutanés sont parfois associés à une légère carence vitaminique. Ils répondent alors à une absorption orale de vitamines et à des applications topiques. Les vitamines qui participent au maintien d'une peau saine sont la vitamine A, la riboflavine, l'acide nicotinique, la pyridoxine, la biotine, les vitamines C, E et F. *Voir* Acné, Dermatites, Eczéma, Dermatite séborrhéïque, Psoriasis.

Troubles d'apprentissage

Les troubles d'apprentissage se manifestent chez les enfants et les adolescents. Ce terme désigne une incapacité à se concentrer et à apprendre, souvent associée à de l'hyperactivité. Le traitement consiste à donner des doses élevées de multivitamines. *Voir* Hyperactivité.

Troubles mentaux

Les troubles mentaux peuvent être reliés à des déficiences légères mines, particulièrement en thiamine, riboflavine, nicotinamide, pyridoxine, acide folique et vitamine B_{12}. Un individu peut également souffrir d'une dépendance vitaminique exigeant des apports plus considérables, qui peuvent être obtenus par l'alimentation. *Voir* Autisme, Dépression, Thérapie mégavitaminée, Schizophrénie, Démence sénile.

Tryptophane

C'est un acide aminé essentiel, habituellement fourni dans la diète. Il a été utilisé à hautes doses conjointement avec la nicotinamide, la pyridoxine et la vitamine C pour traiter les dépressions. C'est un précurseur de l'acide nicotinique; 60 mg de tryptophane est nécessaire pour chaque mg de cette vitamine. Le tryptophane provenant du régime alimentaire est insuffisant pour combler tous les besoins en acide nicotinique, mais cette transformation est intimement liée à des quantités adéquates de thiamine, riboflavine, pyridoxine et biotine. Le tryptophane est aussi un précurseur de la sérotonine, un facteur essentiel au bon fonctionnement des nerfs et du cerveau. La synthèse de la sérotonine exige la présence de la vitamine B_6. Une carence de cette dernière entraîne de la dépression.

Tube digestif

Voir Tractus gastro-intestinal.

U

Ubiquinone

Connue aussi sous le nom de coenzyme Q. C'est une substance apparentée aux vitamines et présente dans toutes les cellules de l'organisme, mais qu'on trouve en plus grande concentration dans le muscle cardiaque. Elle agit comme coenzyme dans le transfert de l'oxygène. Sa synthèse nécessite la présence de la vitamine E. La levure est une excellente source d'ubiquinone.

Ulcères

Perte de substance de la peau et des muqueuses formant des plaies.

Ulcère de décubitus - *voir* Plaies de lit

Ulcère indolent: ulcère qui n'arrive pas à cicatriser. L'application locale d'une crème à base de vitamine E ainsi que l'ingestion orale de 400 à 600 u.i. par jour de vitamine E peut donner de bons résultats.

Ulcère de la jambe: parfois associé au diabète. On le traite, comme l'ulcère indolent, avec de la vitamine E ou de l'acide folique, à raison de 5 mg trois fois par jour. Dans les cas graves, on ajoute des injections de 20 mg d'acide folique 2 fois par semaine.

Ulcère gastrique: a répondu favorablement à 150 000 u.i. de vitamine A quotidiennement pendant 4 semaines.

Ulcère buccal: on peut éviter l'apparition d'un ulcère buccal par un apport adéquat de riboflavine (10 mg par jour) et de vitamine A (7 500 u.i. quotidiennement) et on traite l'ulcère buccal de la même façon.

Ulcère variqueux: *voir* Ulcère indolent.

Ulcère de décubitus

Voir Plaies de lit.

Unités internationales (u.i)

Mesures servant à exprimer l'activité biologique des vitamines. Aujourd'hui, l'utilisation d'unité de masse (milligramme ou microgramme) a supplanté l'emploi des unités internationales, dans la plupart des cas.

Une u.i. de vitamine A = 0,30 microgramme de rétinol (μg)
Une u.i. de bêta-carotène = 0,10 microgramme de rétinol
Une u.i. de vitamine D = 0,025 μg
Une u.i. de vitamine E = 1,0 mg d'acétate dl-alpha tocophéryl ou
0,91 mg de dl-alpha tocophérol ou
0,74 mg d'acétate d-alpha tocophéryl ou
0,67 mg de d-alpha tocophérol ou
1,12 mg de succinate dl-alpha tocophéryl ou
0,83 mg de succinate d-alpha tocophéryl

Les autres vitamines ayant déjà été exprimées en unités internationales sont:
le chlorhydrate de thiamine, une u.i. = 3 μg
l'acide pantothénique, une u.i. = 13,33 μg
la vitamine C, une u.i. = 50 μg

V

Varices

Ou veines variqueuses. Dilatation des veines accompagnée parfois de nodosités et d'enflure. Les flavonoïdes (1 000 mg par jour) et la vitamine C (500 mg par jour) peuvent aider à réduire cette affection. La vitamine E (400 à 600 u.i. quotidiennement) peut réduire l'enflure, la douleur et prévenir une phlébite. La lécithine (5 à 15 g par jour) complète l'action de la vitamine E.

Veau

Après cuisson, toutes les coupes contiennent des traces de carotène et de vitamines A, D et E. C'est une source médiocre de biotine et d'acide folique. Les autres vitamines B présentes (en mg par 100 g) sont: thiamine 0,06 à 0,10, riboflavine 0,25 à 0,27, acide nicotinique 6,7 à 13,7, pyridoxine 0,30 à 0,32, acide pantothénique 0,5 à 0,6; et en μg par 100 g: vitamine B_{12} 1,0, acide folique 4 à 5.

Les taux les plus élevés se trouvent dans les coupes plus maigres. Le veau est complètement dépourvu de vitamine C. *Voir* aussi Viandes: pertes lors de la cuisson.

Végétalisme

Ou végatarisme strict. C'est une doctrine diététique qui exclut tous les aliments ne provenant pas du règne végétal; ainsi, les produits dérivés des animaux, du poisson, de la volaille et des insectes ne sont pas permis (par exemple, œufs, beurre, fromage, lait, miel, etc.). Les végétaliens qui suivent ce régime à la lettre sont prédisposés à souffrir d'une déficience en vitamine B_{12}. Toutefois, la vitamine B_{12} est disponible sous forme de suppléments obtenus par fermentation. La spirulina, une algue, fournit une quantité adéquate de vitamine B_{12}. Afin d'éviter une déficience possible en vitamine D, les végétaliens devront prendre des suppléments de vitamine D provenant de la levure ou s'exposer la peau aux rayons solaires.

Végétarisme

Doctrine diététique qui exclut la viande, le poisson et la volaille. Les végétariens pourront bénéficier d'un supplément de vitamine B_{12}, quoiqu'une quantité adéquate peut être obtenue des produits laitiers du régime alimentaire. La vitamine D provient, elle aussi, des produits laitiers. Cette diète fournit des taux élevés de vitamine C et d'acide folique.

Vergetures

Connues aussi sous le nom de stries. Une application topique d'une crème à base de vitamine E dès l'apparition des premiers signes ainsi qu'un supplément oral de 400 u.i. de vitamine E quotidiennement, en doses fractionnées, peuvent aider.

Vermouth

Apéritif à base de vin aromatisé de plantes amères et toniques. Le taux d'acide nicotinique y est de 0,04 mg par 100 ml. Le vermouth sucré contient 0,004 mg de pyridoxine par 100 ml, tandis que le vermouth sec en contient 0,008. La thiamine, la riboflavine, l'acide folique et la vitamine B_{12} sont présents à l'état de traces seulement. Tous les vermouths sont dépourvus de vitamine C.

Verrues

Les verrues vulgaires sont des éruptions bénignes de la peau causées par un virus. L'application locale d'une solution de palmitate de vitamine A soluble dans l'eau peut être efficace. Le traitement alternatif consiste à appliquer localement de l'huile de vitamine E et à prendre oralement 400 u.i. de vitamine E quotidiennement.

Viandes, pertes subies lors de la cuisson

Le tableau suivant illustre les pertes vitaminiques moyennes que subissent les viandes et la volaille selon différentes méthodes de cuisson. Le foie et les autres abats sont les seules sources significatives de vitamine C et toutes les méthodes de cuisson entraînent des pertes vitaminiques d'environ 20%.

Tableau 18. **Pourcentages moyens de pertes vitaminiques des viandes et de la volaille pendant la cuisson**

	Rôtissage, friture et grillage	Ébullition, cuisson lente
Vitamine A	0	0
Vitamine E	20	20
Vitamine B_{12}	20	20
Biotine	10	10
Thiamine	20	60
Riboflavine	20	30
Acide nicotinique	20	50
Pyridoxine	20	50
Acide pantothénique	20	40
Acide folique	10	30

Viandes (préparées industriellement)

Les viandes transformées comme les viandes en conserve, pâtés, saucisses, saucissons et hambourgeois fournissent des quantités moindres de vitamines que les viandes originales à partir desquelles elles sont produites. Ces taux réduits de vitamines sont dus en grande partie aux pertes subies lors de la transformation et du mélange de la viande avec la farine et les graisses.

Vieillissement

Les besoins vitaminiques sont augmentés, particulièrement les vitamines du complexe B, les vitamines C et E.

Vins

Les vins rouges contiennent des concentrations plus élevées de vitamines B que les vins rosés ou blancs. Le carotène est présent à l'état de traces seulement, quelle que soit la catégorie de vins. Les vitamines du complexe B présentes (en mg par 100 ml) sont: thiamine (traces), riboflavine (0,01 à 0,02), acide nicotinique (0,06 à 0,09), acide pantothénique (0,03 à 0,04), pyridoxine (0,012 à 0,023), vitamine B_{12} (traces). L'acide folique est présent à l'état de traces tandis que, selon toute probabilité, la biotine serait absente. Tous les vins sont dépourvus de vitamine C.

Virus

Le plus petit des parasites. Le virus est composé chimiquement d'un noyau central d'acide nucléique et d'une couche externe de protéine. L'acide nucléique est l'élément principal provoquant l'infection. Les virus dépendent entièrement des bactéries ou des cellules végétales et animales pour se reproduire. La meilleure protection naturelle contre les infections virales est un apport adéquat de vitamine A et de vitamine C.

Lors d'infections virales, des suppléments de vitamine A (7 500 u.i.) et de vitamine C (jusqu'à 6 g par jour) pourront aider.

Vitamine

Vient du latin «vita» (signifiant vic) et «aminé» (substance qu'on attribue à tort à toutes les vitamines). Ce terme a été utilisé pour la première fois en 1911 par un chimiste polonais, Casimir Funk. Il désigne les substances organiques indispensables à la santé mais qui ne peuvent être synthétisées en quantités suffisantes par l'organisme, tant chez les animaux que chez l'humain. On les classifie en vitamines liposolubles (A, D, E, F et K) et en vitamines hydrosolubles (les vitamines du complexe B, les vitamines C et P).

Les vitamines doivent satisfaire trois exigences:

1. Il doit être possible d'en obtenir des concentrations adéquates uniquement par le régime alimentaire.

2. Une déficience doit entraîner de légers symptômes cliniques et des maladies.

3. Ces maladies et symptômes doivent être soulagés uniquement par l'emploi d'une vitamine spécifique.

La vitamine D (produite par la peau sous l'effet des rayons solaires) ainsi que la biotine et la vitamine K (produites par la synthèse des bactéries intestinales) font exception.

Vitamine B_3

Acide nicotinique.

Vitamine B_4

Adénine (n'est plus considérée comme une vitamine).

Vitamine B_5

Acide pantothénique.

Vitamine B_7

Facteur de croissance pour les micro-organismes mais pas chez l'humain.

Vitamine B_8

Facteur de croissance pour les micro-organismes mais pas chez l'humain.

Vitamine B_9

Idem.

Vitamine B_{10}

Facteur non identifié affectant la croissance et le plumage des poussins.

Vitamine B_{11}

Facteur non identifié affectant la croissance et le plumage des poussins.

Vitamine B_{13}

Acide orotique.

Vitamine B_{14}

Dérivé de la vitamine B_{12}.

Vitamine B_c

Acide folique.

Vitamine BT

Carnitine (n'est plus considérée comme une vitamine).

Vitamine BX

Acide para-aminobenzoïque.

Vitamine F

Acides gras polyinsaturés.

Vitamine G

Vitamine B_2.

Vitamine H

Biotine.

Vitamine H_3

Procaïne (n'est plus considérée comme une vitamine).

Vitamine L_1

Acide ortho-aminobenzoïque.

Vitamine L_2

Dérivé de l'adénine. Facteur présumément nécessaire à la lactation; toutefois, son importance chez l'humain est douteuse.

Vitamine M

Acide folique.

Vitamine P

Flavonoïdes.

Vitamine PP

Acide nicotinique.

Vitamine T

Connue aussi sous les noms de tégotine, termitine, facteur T, vitamine T Goetsch, vitamine de Goetsch. Complexe favorisant la croissance, originalement obtenu des termites, mais qui est aussi présent dans les levures et les champignons. Il s'agit probablement d'un mélange de vitamines déjà connues et de facteurs de croissance, mais on n'a jamais réussi à les identifier complètement.

Vitamine U

Vitamine anti-ulcères présente dans les feuilles de chou et les autres légumes verts. On croit qu'il s'agit d'un sel de la l-méthionine méthylsulfonium. Elle a été utilisée dans le traitement d'ulcères gastriques.

Vitamines naturelles

Les vitamines naturelles sont celles qui sont:
1. tirées de sources naturelles (par exemple, le d-alpha tocophérol),
2. produites par fermentation (par exemple, la vitamine B_{12}),
3. offertes en milieu naturel (par exemple, la vitamine E présente dans l'huile de germe de blé et l'huile de soja),
4. présentes dans un aliment (par exemple, les vitamines du complexe B de la levure).

Les avantages fournis par l'utilisation des vitamines naturelles sont les suivants:
1. elles sont biologiquement plus actives (par exemple, le d-alpha itocophérol);
2. elles sont absorbées de façon plus efficace (ainsi, les vitamines liposolubles nécessitent le support des graisses ou huiles déjà présentes dans la source);
3. elles sont employées de meilleure façon en présence d'autres agents (ainsi, la vitamine C et les flavonoïdes se présentent ensemble dans les aliments et fonctionnent ensemble dans l'organisme);

4. elles demeurent plus longtemps dans l'organisme (par exemple, la vitamine E d'origine naturelle).

Vitamine soleil

Voir Vitamine D.

Vitiligo

Trouble de la pigmentation de la peau se manifestant par l'apparition de plaques décolorées, la peau ayant perdu la capacité de produire de la mélanine, un pigment naturel. L'exposition aux rayons solaires aggrave le problème, probablement parce que les régions indemnes deviennent plus foncées sous l'effet du bronzage. Ce trouble est sans conséquence grave, mis à part l'aspect esthétique. Le traitement consiste en des injections de 50 mg de PABA deux fois par jour, plus 100 mg deux fois par jour pris oralement. On note une amélioration après 6 à 8 mois. Le traitement peut être complété par des suppléments d'acide pantothénique, de vitamine B_6, de zinc et de manganèse pour stimuler la production de mélanine.

Vomissements matinaux de la grossesse

Voir Nausée.

W-X-Y

Warfarine

Médicament anticoagulant qui agit en inhibant l'action de la vitamine K.

Xérès

Vin fortifié fournissant un peu de vitamines du complexe B. Le xérès sec contient des concentrations vitaminiques plus élevées. Le carotène est présent à l'état de traces seulement. Les vitamines du complexe B présentes (en mg par 100 g) sont: traces de thiamine, riboflavine 0,1, acide nicotinique variant entre 0,07 et 0,10, pyridoxine 0,008 à 0,009, traces de vitamine B_{12}. L'acide folique est présent à l'état de traces, tandis que la vitamine C est complètement absente.

Xérophtalmie

Sécheresse et atrophie de la conjonctive, entraînant l'opacité de la cornée, associée à une déficience en vitamine A.

Yeux

La vision dépend d'un apport adéquat de vitamine A (2 500 u.i. par jour). Le problème des yeux injectés de sang peut être prévenu par 10 mg de vitamine B_2 quotidiennement. Les gros fumeurs risquent de souffrir d'amblyopie (vision réduite) à cause d'une inactivation de la vitamine B_{12} par le tabac.

Yogourt

C'est une bonne source de certaines vitamines du complexe B et de certaines vitamines liposolubles. Les concentrations vitaminiques sont plus élevées dans le yogourt que dans le lait, à cause de la synthèse bactérienne. On y trouve les vitamines suivantes (en mg par 100 g): vitamine A 0,0008, carotène 0,005, thiamine 0,05, riboflavine 0,26, acide nicotinique 1,16, pyridoxine 0,04, acide folique 0,002, vitamine E 0,03, des traces des vitamines B_{12} et D.

Z

Zona

Connu aussi sous le nom de *Herpès zoster*, c'est une maladie infectieuse aiguë du système nerveux central, causée par un virus. Il est caractérisé par une éruption cutanée de vésicules, accompagnée de douleurs plus ou moins intenses sur le trajet des nerfs de la peau.

On a traité le zona avec des injections de vitamine C à des doses de 3 grammes aux 12 heures et avec une dose orale de 1 gramme à toutes les 2 heures. On assiste à un soulagement de la douleur et à un assèchement des vésicules en moins de 72 heures. Quelques personnes ont bien répondu à des injections quotidiennes de 500 μg de vitamine B_{12}. Ils ont obtenu un soulagement en moins de 3 jours. On recommande, dans tous les cas, une absorption orale de fortes doses du complexe vitaminique B pour favoriser la guérison des lésions nerveuses. On doit continuer le traitement même après l'assèchement des vésicules. Le zona pourrait être soulagé avec de fortes doses quotidiennes (jusqu'à 3 g) d'acide aminé L-lysine prises conjointement avec les suppléments vitaminiques.